DANIEL CASPER VON LOHENSTEIN

CLEOPATRA

TRAUERSPIEL

TEXT DER ERSTFASSUNG VON 1661,
BESORGT VON ILSE-MARIE BARTH
NACHWORT VON WILLI FLEMMING

PHILIPP RECLAM JUN. STUTTGART

Daniel Caspers
CLEOPATRA

Breßlaw bei Esaia

Agibem Buchhändlern.

Universal-Bibliothek Nr. 8950[2]
Alle Rechte vorbehalten. © 1965 Philipp Reclam jun., Stuttgart
Gesamtherstellung: Reclam, Ditzingen. Printed in Germany 1981
ISBN 3-15-008950-6

Daniel Caspers

Cleopatra,

Trauer-Spiel.

Breßlau /
Auf Unkosten Esaiæ Fellgibels
Buchhändlers daselbst.
1661.

Tacit. l. 3. Hist. c. 66.

Moriendum victis, moriendum deditis:
id solum referre, novissimum Spiritum
per Ludibrium & Contumelias effun-
dant, an per virtutem.

Kurtzer Innhalt.

Nach dem die Königin in Egypten Cleopatra und der ihr verehlichte M. Antonius von Octavio Augusto zur See bey Actium geschlagen ward / dieser auch in der Stadt Alexandrien beyde harte belägerte / und kein Vergleich- oder Friedens-Mittel unter ihnen konte getroffen werden / bereitete ihr Cleopatra eine Todten-Grufft / und stellte sich an / als ob sie sich selbst mit Giffte hinrichtete. Als dis Antonius erfuhr / stach er ihm selbst aus bestürtz- und Verzweifelung den Dolch in die Brust; ward aber dannenher noch lebende verständigt: daß Cleopatra noch lebte. Dannenher er sich zu ihr tragen ließ / und in ihrer Schoß verschiede. Hierauff ergab sich Cleopatra guttwillig dem Octavio, welchem des Antonii freygelassener Dercetaeus nebst dem bluttigen Dolche den Unfall schon eröffnet hatte. Dieser ließ auch nicht alleine durch Proculejum und Corn. Gallum sie des besten vertrösten / sondern besuchte sie selbst und erzeugte sich nebst vielem versprechen sehr freundlich gegen ihr.

Als sie aber ihrer Hoffnung nach den Keyser / welcher ihr zwar glatte Wortte gab / zu würcklicher Liebe nicht bewegen konte / sondern von Cornelio Dolobella heimlich verständigt ward: daß sie der Keyser mit Gewalt nach Rom zum Siegs-Gepränge schicken wolte / ließ sie in einem mit Blumen und Feigen gefüllten Korbe eine sehr giftige Schlange bringen / und / nach dem sie mit Zulassung des Keysers dem Antonio sein Grabmahl zubereitet / daselbst sich von ihr in den Arm stechen / welcher zwey ihres liebsten Frauen-Zimmers Charmium und Iras durch willkührlichen Todt bald nachfolgten. Ob nun wol der Keyser dessen zeitlich inne ward / er auch selbst zu lieff / und durch Psyllos ihr das Gifft wolte außsaugen / und also sie wieder zu rechte bringen lassen / war doch alles vergebens. Er ließ sie aber König-

lich / und die Ihrigen ehrlich begraben. Mittlerzeit ward
Antyllus des Antonii und Fulviae Sohn in einem Tempel
ermordet durch Verrätherey seines eigenen Lehrers Theo-
dori, welchen Augustus kreutzigen ließ / zugleich auch dem
entflohenen Caesarion nachzustellen und ihn zu tödten /
hingegen der Cleopatra Kinder wol zuverwahren / anbefohlen.

Personen des Trauer-Spiels.

Cleopatra Königin in Egypten.

M. Antonius, der berühmte Römer.

Octavius Augustus, Römischer Keyser.

C. Sosius des Antonii Feld-Hauptmann.

Canidius der Hauptmann in Alexandria.

Caelius sein Schiff-Hauptmann.

Archibius der Cleopatra geheimster Rath.

Charmium.
Iras. } ihre geheimste aus dem Frauen-Zimmer.

Proculejus.
Cornel. Gall. } Zwey Römer des Keysers Obersten.

Ptolomaeus.
Alexander. } Des Antonius und der Cleopatra Kinder.
Cleopatra.

Diomedes.
Dercetaeus. } Des Antonii Freygelassene.
Eteocles.

Eros, des Antonius Leibeigener.

Cyllenie, eine aus Cleopatrens Frauen-Zimmer.

Antigoni und Artabazis zweyer Könige Geister.

Arius, ein Weltweiser.

Zwey Psylli.

Etliche Hauptleuthe des Antonius und des Keysers.

Etliche Trabanten.

Artabazis und Antilli Leichen.

Reyen der Göttin des Gelücks / des Jupiters / des Neptunus,
  und Pluto, sammt dreyen Himmel- See- und Wasser-
  Göttern.
Reyen des Mercurius, des Paris, der Juno, Pallas und Venus.
Reyen der drey Parcen.
Reyen der Egyptischen Schäfer und Schäferinnen.
Reyen der Tyber / des Nilus, der Dohnau und des Rheins.

Das Trauer-Spiel beginnet den Morgen / wehret den Tag
  und die Nacht durch bis an den andern Tag.

Der Schauplatz ist meist die Königliche Burg zu Alexandria,
  theils des Keysers Gezelt.

Die erste Abhandlung.

Antonius hält mit seinen Kriegs-Obersten Rath / ob er dem Octavio Augusto, welcher ihn in Alexandria belägerte / durch fernern Außfall / oder nur innere Gegenwehre begegnen solle. Cleopatra erzehlet dem Antonio die unglückseeligen Wunderzeichen. Augustus trägt durch den Proculejum seinen Gesandten dem Antonio an das dritte Theil des Römischen Reichs ihm zuzutheilen / mit dem bedinge: daß er Cleopatren fahren lassen / ihm Egypten abtreten / und den König Artabazes loß lassen solte. Hierüber hält Antonius mit den seinigen Rath; welche ihm dieses einzugehen rathen. Der Reyen stellet vor die Göttin des Gelücks / aus derer Schoos Jupiter, Neptunus, Pluto die Erbtheilung der Welt durchs Looß erörtern.

Die andere Abhandlung.

Cleopatra erzählt mit grimmigem Eifer ihrem Geheimsten dem Archibio; was Antonius mit seinen Räthen ihrer Verstossung halber gerathschlagt / und wird schlüssig: den Antonium selbst wegzuräumen. Hierauff geht sie ihn mit kläglichen und zugleich beweglichen Worten an / und bewegt ihn durch Liebreitz so weit: daß er ihr nicht alleine des Augusti Vorschläge zuverwerffen verspricht / sondern ihr auch des Königs Artabazes abgehauenen Kopff zu liefern anbefiehlet.

Nach diesem sinnet Cleopatra auf Mittel den Antonium wegzubringen / schleußt auch sich anzustellen / als ob sie sich durch Gifft hingerichtet hette. Archibius eröfnet dem Proculejo: daß Antonius des Augusti Vorschläge verwärffe / und weiset ihm zu gleich des Artabazes enthaupteten Kör-

per. Der Reyen bildet ab das Gerichte des den Antonium ab-
mahlenden Paris, welcher mit der Juno und Pallas Zepter
und Weißheit der Venus und seiner Begierde nachsätzet.

Die dritte Abhandlung.

Cleopatra führet ihre geheimste Charmium in die zuberei-
tete Todten-Grufft / und entdäcket ihr: daß sie sich eines
falschen Sterbens anmassen wolle; rufft darauf alles Frauen-
Zimmer zu sich / gesegnet sie / und nimmt unter dem Scheine
Giftes einen Schlaff-Trunck zu sich. Als sie also als todt
lieget / eröffnen sie solches einem Freygelassenen dem Eteocles. Des Königs Antigonus und Artabazes Geister erscheinen
dem schlaffenden Antonio und dreuen ihm den Untergang.
Als darüber er voll schreckens erwachet / bringet ihm
Etheocles die Post: Cleopatra habe sich durch Gifft hingerichtet. Worauff / nach dem sein Knecht Eros, der ihn
tödten sol / sich selbst entleibet / zeucht er den Dolch ihm
aus der Wunde / und stößt ihn ihm selbst in die Brust. Nach
diesem zeucht Dercetaeus ihm den Dolch auch heraus / und
fleucht zum Augusto. Diomedes aber komm't / und verständigt den durch Kühlung ermunterten Antonium: Cleopatra sei noch bei leben. Darauf / nach dem er sich zu ihr
tragen läst / er nach zu gesprochenem Troste ihr auf der
Schooß die Seele ausbläset. Der Reyen stellet unter dem
Gespräche der Parcen die Flüchtigkeit des Menschlichen Lebens und die Gewißheit des Todes vor.

Die vierdte Abhandlung.

Dercetaeus entdeckt Augusto den bluttigen Dolch und Antonii Todt. Augustus rathschlagt mit Proculejo und Corn.
Gallo, wie der Cleopatra angesagter Gesandte zu empfan-

gen sey / und ob er sich der Schärffe oder Gütte gebrauchen solle. Canidius ergiebet im Nahmen Cleopatrens Alexandrien / welcher ihn aller Genade vertröstet / und hierauf für rathsam befindet Cleopatren aufs höchste zu ehren / ja sich gar verliebt gegen sie anzustellen. Proculejus und Gallus / hernach auch Augustus selbst / bemühen sich durch allerhand Schein Cleopatren nach Rom zulocken: Hingegen diese den Augustum zur Liebe zu bewegen. Als ihr aber Augustus zu kaltsinnig; dis aber: daß man sie nach Rom zu zihen so sehr nöhtigt / verdächtig vorkommt / stelt sie sich an: als ob sie endlich darein willigte / und bittet nur: daß sie Antonium begraben möge. Die Egyptischen Schäffer und Schäfferinnen tadeln nebst dem Hofe die falsche / und rühmen nebst dem Feldleben die aufrichtige Liebe.

Die fünfte Abhandlung.

Cleopatra begeht des Antonii Leichbegängnüß / eröfnet der Charmium und Iras des Keysers Falschheit / welcher sie nach Rom zum Schau-Spiel führen wolle. Und nach dem sie Augusto einen demüttigen Brieff zugeschrieben / läst sie sich die in einem Korbe verwahrte Schlange in Arm stechen und stirbt. Durch gleichmässigen Schlangen Stich kommt auch Iras umb. Charmium aber erstößt sich mit einem Dolche. Als Augustus der Cleopatrae Brieff bekommt / kommt er eilends nebst den Seinigen / umb ihren Todt zu verhindern / zugelauffen / findet sie aber schon todt und nach dem er allerhand Erkwickungs Mittel besonders die Gifft-aussaugenden Psyllos ohne Frucht angewendet / lobt und beklagt er sie / heist sie auch nebst den Antonium Königlich / die andern zwey auch ehrlich begraben. Nach diesem bringt Archibius die Post: daß die Kriegs-Knechte den von dem Theodoro verrathenen Antillum im Tempel der Isis ermordet / da denn die todte Leiche für den Keyser bracht wird; welcher den Theodorum kreutzigen / den heimlich entflohenen Caesarion aber tödten heist. Endlich besihet und verehret Augustus die Leiche des grossen Alexanders. Im Reyen wird unter der Tyber die Hoheit des Römischen Reichs und der neu-angehenden Monarchie beschrieben / dem sich Egypten-Land unter dem Nahmen deß Nilus unterwerffen muß. Der Rhein und die Donau aber entwärffen: daß das Römische Reich künftig auf die Deutschen kommen werde.

Die erste Abhandlung.

Der Schauplatz bildet ab des Antonii geheimes Zimmer.
M. Antonius. C. Sosius. Canidius. Archibius. Caelius.
Unterschiedene Hauptleute des Antonii.

A n t o n i u s.
Wird / nun des Meeres Schaum der Tiber gelbe Flutt
Der Rhein / der strenge Phrat / das kalte Bürger-Blutt
Nicht mehr begissen kan / der Nilus auch beflekket?
Die Gräntz' ist der Natur / der See ihr Ziel gestekket;
Der Schatten miß't die Nacht / den hellen Tag das Licht;   5
Nur den Octavius umb gräntzt kein Schrancken nicht.
Rom / das dem Himmel selbst ist mühsam obzusigen /
Für dessen Füssen muß der Welt-Kreiß kniend ligen
Stillt seinen Ehr-geitz nicht. Er ist den Römern dis;
Was Rom der Welt gewest. Der Schlange giftig Biß   10
Ruht / wenn ihr scharffer Zahn sich auf dem Zahne wetzet.
Octavius hat längst in seinen Dienst versätzet
Was Dreyen dienstbar war / was Rom gebetet an;
Schaut' aber / daß ihn diß noch nicht vergnügen kan.
Der Nilus hat noch nie di Tiber angebetet /   15
Egypten auch nicht Rom. Der Sand den ihr betretet
Kam in die Theilung nicht. Er nehme 's drittel hin;
Wenn nur mein Heyrath-Gut mir bleibet zum Gewien.
Allein wer wil den Wurm aus dem Gespinste bringen /
Der in der Wolle stekkt? Wer wil den Tyger zwingen   20
Durch Gütte / der bereit in den zerfleischten Darm
Die Klauen eingesänckt! ha! heiß-erhitzter Arm!
Der dem gefällten Wild' auch Höl' und Nest zerstöret!
Der / wenn der Stamm zermalmt / die Wurtzeln auch
                                            versehret /

2 Phrat = Euphrat.

Der / wenn der Löwe Raub und Nägel eingebüßt /   25
Der Löwin auch die Brust und ihre Jungen frist!
Jedoch / wie / wenn der Mast schon auf den Klippen
                              springet /
Wenn schon das blaue Saltz sich in die Ritze dringet /
Wenn der verterbte Nord den morschen Kahn zerschleifft /
Der Boßmann für sein Schiff ein schmales Brett' ergreifft   30
Für's Ruder braucht den Arm / zum Ancker Bein und
                              Füsse /
Die Hoffnung zum Compaß: so muß die sauren bisse
Deß scheuternden Gelücks / den Schiffbruch seiner Macht
Auf diese Zeit Anton sein außzustehn bedacht.
Anton muß / wenn di Flutt ihm biß zur Lippe rinnet /   35
Versuchen was er kan. Anton ist noch gesinnet
Zu wagen / was ihm Sturm und Schiffbruch übrig läßt.
Anton ist noch behertzt / wo seiner Freunde Rest
Die Farbe nicht verlihrt / den letzten Sturm zu wagen.
Kan aber dieser Baum den Gipffel nicht mehr tragen;   40
So fall' er: wenn er nur dem / der den Stamm bewegt /
Die Aeste stoltzer Ruh zugleich in stükke schläg't.
Es fall' Anton / da nur diß Reich nicht geht verlohren /
Daß; weil die Römer ja zu dienen sein gebohren;
Weil Rom das Haupt der Welt / di Freyheit hält für Bley   45
Und Knecht-sein für Gewien; wo noch ein Hafen sei
Der Freyheit / und für euch. Ach! aber / ach! vergebens!
Sucht Caesars Spitze wol die Spitze meines Lebens?
Nein! weil diß Land hier trägt Gold / Weitzen /
                              Helffenbein
Wil er der Mohren Haupt / Egyptens Zinß-Herr sein.   50
Die Schiff-Flott' ist verbrennt / die Heere sind geschlagen /
Des Nilus Rücken lernt der Römer Brücken tragen;
Es sind der grossen Stadt die Mauren meist erschell't /
Jedoch ist eure Brust / ihr Helden dieser Welt /
Der Felß / an dem der Feind noch sol den Kopff
                              zerstükken /   55

30 Boßmann = Bootsmann.

Di Mauer / derer Fall di Welle wird erdrükken /
Di sie zerschmettern wil; wo euer kluger Rath
Zu heilen diesen Brand kein sanffter Pflaster hat.

Sosius.

Das Pflaster unser Wund' ist ein behertzt Gemütte /
Groß-müttiger Anton; wer auf des Keisers Gütte   60
Den Trost der Wolfarth baut / baut Pfeiler in die See
Sucht bey der Natter Gunst / und Flammen in dem Schnee.
Man weiß des Keisers Art / von wem er sei erzogen;
Der mit der Mutter-Milch die Ehrsucht hat gesogen /
Sollt' er dem Julius als Vater geben nach?   65
Der mit Pompejens Hals' auch Rom den Kopff zerbrach /
Woll'n wir wie Lepidus das Leben von ihm bitten?
So schleuß in Colchos dich / ich bei den rauen Britten
In einen wüsten Fels di freien Sinnen ein.
Wo ja das Leben kan der Zagheit Beuthe sein.   70
Der Todt siht bitter auß / noch bitterer das Leben
Das schimpf und Ketten träg't. Ich wil den Geist aufgeben
Mit Freuden / eh ich wil Octavianus Knecht
Der Römer Schau-Spiel sein. Der Zustand ist zwar schlecht.
In Alexandrien beruhet unser hoffen.   75
Doch / hat der oft zu erst den rechten Zweck getroffen
Der nichts zu hoffen hat. Ein abgemergelt Schiff /
Auf welches Wind und Meer di Donnerkeile schliff /
Erwählet für das Heil der sändichten gestade
Di offen-hohe See / und segelt mehr gerade   80
Zum Hafen / als das sich di Sandbanck stürtzen läßt.
Di Gift ist für di Gift / der Ost-Wind für den West:
Also auch für Gefahr Gefahr das beste Pflaster.
Wie kan diß sicher seyn / was uns di Tugend Laster
Ein Römer knechtisch heißt? Gesätzt; wir fallen hin: 85
Wir haben für den Todt di Ehre zum Gewien.
Dringt denn der kalte Stahl uns nicht durch Hertz und
                            Glider /
Sind mehr als Ketten dar / di doch von uns ein ieder
Muß tragen der sich gibt? Wenn hat ein hoher Geist

Auch an den Feinden nicht di Tugend wehrt gepreist?   9(

Der Keyser wird auch di / di sich noch hertzhafft rächchen /

Die das Gelücke stürtzt / gelinder Urtheil sprächchen;

Als di di Zagheit fällt. Man tödtet Gems' und Reh;

Wenn der besigte Löw nicht fühlet Schmach und Weh.

Durch Kleinmuth ist Pompei' ins Sklaven Mord-Hand
                    kommen /   9f

Di hat dem Lepidus di Freiheit auch genommen /

Ihn in Circae gesperrt. Die Tugend wird bewehrt

Durch Unfall / Gold durch Glut. Wer dis / was ich /
                    begehrt /

Der falle 's Läger an.

C a n i d i u s.   Ich rühme dein beginnen;

Wo nicht durch lindern Wind der Port ist zu gewinnen.   10(

Denn sätzt der Artzt mit fug Pfrim / Seg' / und Messer
                    an /

Wenn Oel und Pflaster nicht das Brandmal heilen kan;

Wenn Gütte nicht verfängt / so muß der Eifer schneiden.

Alleine / da du wilst di Tugend unterscheiden

Vom rasen: wilstu Ruhm durch Groß-muth legen ein /   10f

Muß Klugheit und Vernunfft di Wage-Schale sein /

Di Kräfften und Gefahr theil't in ein gleich Gewichte.

Heil ist der Vorsicht Lohn; Verderb der Kühnheit Früchte.

Zwar / wenn Anton nebst uns durch Heer und Lager
                    dring't

Und deß Canopus Sand mit unserm Blutte ting't;   11(

Blüh'n auß dem Saamen uns die güld'nen Ehren-Lilgen /

Di nicht di Zeit / nicht Rom / auch kein August wird tilgen.

Es bleibt dem Sosius der Purper seines Blutts

Zum Siges-Fahne stehn. Was aber kriegt für gutts

Dis arme Land hiervon?

A r c h i b i u s.   Di Julier zu Göttern /   11f

Di Livie zur Frau. Ach Gott! von was für Wettern

Von was für Donner wird Cleopatra verletzt /

110 ting't = düngt.

Wenn man Egyptens Heil so auf di Spitze setzt?
Den Printz bewehrt Verstand / di Wunden den Soldaten.
Mit unserm Ruhme wird der Nachwelt nicht gerathen / 120
Di ewig dienen sol. Was thut ein Schiffer nicht
Eh' als er gegen Wind di steiffen Segel richt?
Er läßt di Segel falln / haut Thau' und Mast in stücke /
Sänkkt Bley und Ancker ein. Man muß das Ungelücke
Besänfften mit Geduld / das sich nicht pochen läß't. 125
Auch ein verfolgtes Thier sucht bei Gefahr sein Nest.
S o s i u s.
Ein Ruhm-begier'ger Löw läßt sich kein Keficht fangen /
C a n i d i u s. Was hat Numantia für Thaten nicht begangen?
S o s i u s.
Nach vierzehn Jahren war die Glut des Hungers Lohn.
C a n i d i u s.
Nach vierzehn Jahren? wol! wir sind noch weit hirvon. 130
S o s i u s.
Was bringt di lange Zeit? nichts! als ein täglich stärben.
C a n i d i u s.
Wir können unterdeß umb Rettung uns bewärben.
S o s i u s.
Umb Rettung? nun uns schon der Feind ligt an dem Bort.
C a n i d i u s. Schwam Caesar nicht / als man sein Schiff
                                    besprang / noch fort?
S o s i u s.
Recht! euserst' Artzney taug für euserst-tieffe Wunden. 135
C a n i d i u s.
Leander hat den Tod in trotzen Wellen funden.
S o s i u s. Deß Kaysers Läger ist kein ungebähnter Strom.
C a n i d i u s.
Das Capitol erhielt das schon verlohrne Rom.
S o s i u s. Ja / als Camillus hat das Läger aufgeschlagen.
C a n i d i u s.
Und Manlius vorhin den ersten Sturm ertragen. 140

---

125 dem man nicht zu trotzen vermag.

S o s i u s. Wo käm' Egypten-Land' itzt ein Camillus her.
C a n i d i u s.
    Camillus kam dort auch nichts minder ungefähr.
S o s i u s.
    Die Götter lagen dort selbst für ihr Schloß zu Walle.
A r c h i b i u s.
    Glaubt: daß August dem Gott' Egyptens nicht gefalle.
S o s i u s.
    Ohnmächtger Gott! Rom rufft nicht euer Ochsen an.   1
A r c h i b i u s.
    Wer weis / ob Romulus so viel als Apis kan?
A n t o n i u s.
    Halt' inn'! Es dient dis nicht das Unheil zu versöhnen.
    Es läss't sich nicht in Noth der Völcker Götter höhnen.
    Ist nicht Egypten itzt der Römer Vaterland?
    Die für die Freiheit noch bewegen Hertz und Hand;   1:
    Ist Memphis unser Rom / der Nilus unser Tyber?
    So schimpft di Bilder nicht derselben / di hierüber
    Zu Schutz-Herrn sind erkiest. Schlüßt / wie die treue
                      Stadt
    S[i]ch gegen Feind und Rom noch zu verhalten hat.
A r c h i b i u s.
    Mein Schluß fällt deinen bei. Man fechte von den Mauren. 1.
    Hier kan ein nackter Arm vor drey geharnschten tauren.
    Ist doch di grosse Stadt mit Nothdurfft wol versehn.
    Wie leichte kan sich nicht deß Krieges Brett-Spiel drehn.
    Falln wir das Läger an? laßt uns noch ein's verspielen;
    Wie es vermuthlich ist: daß unser Faust so vielen   1(
    Nicht kan gewachsen sein: wir sind auf einmal hin.
    Kan aber nur der Fürst was wenig's hinterzihn
    Der Stadt Eroberung / so sind wir hochgebessert;
    Weil der geschwällte Nil als-denn di Felder wässert:
    Daß / wo itzt Saate wächst' und fette Lemmer gehn /   1.
    Man siht den kreischen Jäscht der toben Wellen stehn.

---

166 kreischen Jäscht = brausenden Gischt.

Diß zwingt den Kayser denn sein Läger aufzuheben
Und wir bekommen Lufft / biß uns di Götter geben
Ein Ende dieser Noth.
S o s i u s.   Wo man für diese Glutt
 Nicht beßre Kühlung weiß / so ist der Rath nicht gutt 170
 Hat Alexander nicht das wüste Meer getämmet /
 Thürm' in di Flutt gelegt / der Wellen Zorn gehemmet /
 Di See zu Schiffbruch bracht / als sie das Heer verdrang
 Und dieser Blitz der Welt das stoltze Tyrus zwang?
 Hat Caesar nicht besigt den Ocean der Britten / 175
 Den tiefen Rhein bepfält / oft schwimmende gestritten /
 Di Veneter gezähmt / di kein gewafnet Fuß
 Kein Pferd kein Mast betrat; deß Ibers strengen Fluß
 In frembdes Ufer bracht / dem Nilus Gräntzen funden;
 Ja diese grosse Stadt selbst sieghaft überwunden? 180
 Hat der Agrippa nicht / der täglich seinen Witz
 Auf unser Unheil schärfft / in Cumens Felsen Ritz' /
 Und Hafen eingesenckt? Was lassen wir uns träumen:
 Augustus werde nicht deß Nilus Außtrit zäumen?
 Deß Lägers Thämm' erhöhn / di Grafften säncken ein / 185
 Zumal die Römer ja zu Wasser Meister sein?
A r c h i b i u s.
 Perdiccas ward durch nichts als durch den Nil gefället /
 Als der erzürnte Strom di Wellen aufgeschwället /
 Ob ihm schon Attalus mit Schiffen dienstbar war.
S o s i u s.
 Perdiccas und August sind kein vergleichlich Paar. 190
C a n i d i u s.
 Man gebe diß auch nach; daß uns der Strom nit rette;
 Das Glükke / das itzt scheint / geht morgen oft zu Bette.
 Wir haben durch Gedult zum vortheil so viel Zeit /
 Di alle Wunden heilt. Wieviel das Purper-Kleid
 Deß Keisers Römisch Blut der Bürger hat gesogen; 195
 So viel hat er zu Rom auch Nattern auferzogen /
 Di für dem Keiser zwar mit sanfter Zunge spiln;
 Doch durch deß Hertzens Gifft di Rach-begirde kühln.

Rom hat auf den Octav nicht minder Dolchen fertig
Als auf den Julius. Man sei der Zeit gewärtig / 200
Ob sie uns stürtzen kan. Di Wolkke dreut oft viel /
Di wenig Blitze gibt. Als das verlohrne Spiel
Den Julius fast zwang auf sich sein Schwerd zu wetzen
Für Munda / ließ es ihm den Lorberkrantz aufsätzen:
Als aber Ulla fast Pompejens Beuthe war / 205
Verschwand di blasse Furcht durch Cordubens Gefahr.

Sosius. Uns kommt kein Caesar nicht / der uns den Feind
zertheile.

Canidius.
Wer weiß / ob Juba nicht so gutt di Wunden heile?

Sosius. Ja! seinem Vater fiel sein heilen allzuschwer.

Canidius.
Durch ihn fiel Curion mit samt deß Keisers Heer. 210

Sosius.
Denn aber must' ihn selbst deß Freindes Spitz' erstächchen.

Canidius.
Diß reitzt den Juba sich an Juliern zu rächchen.

Sosius.
Der steht auf Eiß / der sich auf frembder Hülffe stützt.

Canidius.
Wo nicht dem Helffer auch di Hülffe selber nützt.

Sosius. Was hat Coriolan am Nilus zu verlihren? 215

Canidius.
Diß / daß ihn unser Band' auch in Ketten führen.

Sosius.
Sol denn der Mohr itzt erst Egyptens Schutz-Herr sein?

Canidius.
Ein Mohr / ein Hannibal trieb Rom in Rom hinein.

Sosius.
Rom war zu selber Zeit noch nicht recht Rom zu nennen.

Canidius.
Mehr! weil die Römer selbst ihr eigen Rom itzt trennen. 220

Sosius. Itzt aber fällt gantz Rom dem Keiser wider bei.

Canidius. Nicht glaube: daß gantz Rom Octavianisch sei.

S o s i u s. So bald di Häupter weg muß sich der Pöfel geben.
C a n i d i u s.
   Ich glaube: daß in Rom / noch tausend Brutus leben.
S o s i u s. Nein! nein! weil Cassius der Römer letzter war.   225
C a n i d i u s.
   Verdeckter Schlangen Gift bringt desto mehr Gefahr;
S o s i u s.
   Das gantze Rom begehrt: daß Nilus zinßbar werde.
C a n i d i u s. Hingegen hasset diß der grosse Rest der Erde.
S o s i u s. Er hast' es; nur daß er nichts nicht verhindern kan.
C a n i d i u s.
   Wol / wo Phraates sich nur nimmt Egyptens an.   230
S o s i u s.
   Was kan der Parthe wol den Römern abgewinnen?
C a n i d i u s. Deß Crassus Beyspiel lehrt / was Parth' und
                         Mede können.
S o s i u s. Der Crassus lernt es zwar; ein anders ist August.
C a n i d i u s.
   Es dien't ein Persisch Pfeil auch für Augustus Brust.
C a e l i u s.
   Mir fällt noch ichtwas bei. Ihr kennet das Gemütte   235
   Deß Keisers / das sich wol noch lencken lässt zur Gütte.
   Herodes Brieff trug uns schon Fridens-Mittel an.
   Man schau' ob man sich gar mit ihm vergleichen kan.
   Man schlag' ihm Mittel vor. Warumb solln wir sich
                      schämen:
   Annähmlichen Vertrag vom Keiser anzunähmen?   240
S o s i u s.
   Erwart'stu Fried' und Ruh vons Keisers blutt'ger Hand?
C a e l i u s.
   Man hat an dem August di Sanfftmuth schon erkant.
S o s i u s. Wo?
C a e l i u s.   Zu Perusien an unsers Fürsten Bruder.
S o s i u s. Er brauchte diesen Schein zu seinem Ehren-Ruder.
C a e l i u s.
   Warumb denn stell't er ihn so bald auf freien Fuß?   245

S o s i u s. Weil grosse Vogel man mit kleinen kirren muß.
C a e l i u s. War Lucius Anton für so gar klein zu halten.
S o s i u s.
   Das Röm'sche Reich gab ihm kein Drittel zu verwalten.
C a e l i u s. Warumb stürtz't er denn nicht den Lepidus
                          durchs Schwerd?
S o s i u s. Sein mehr als knechtisch Geist war keiner
                        Schwerdter wehrt.   25
C a e l i u s. Er hat dem Decius den Vater-Mord vergässen;
S o s i u s.
   Es lässt sich Fürst Anton nach keiner Richt-schnur mässen.
C a e l i u s. Hat ihm Anton mehr Leid als Brutus angethan?
S o s i u s. Diß: daß Anton ihm mehr als Brutus schaden kan.
C a e l i u s. Sol Rach-gier mindern Grimm als Statt-sucht
                      mit sich bringen?   25
S o s i u s.
   Er ließ auch Brutus Kopff für Caesars Bildnüß springen.
C a e l i u s. Uns fleckt kein Vater-Mord.
S o s i u s.   Noch der Peruser Schaar
   Die er geschlachtet hat auf Julius Altar.
C a e l i u s.
   Sie hatten gleichwol sich am Keiser hochverbrochen.
S o s i u s. Wie Gallius? dem er di Augen außgestochen.   26
C a e l i u s.
   Warumb bracht er sich selbst in Mördlichen Verdacht?
S o s i u s. Ein unbedachtsam Wort hat Afern umbgebracht.
C a e l i u s.
   Gesätzt: daß Sosius den rechten Zweck erzihle /
   Daß Caesar sich mit nichts als unserm Blutte kühle
   Daß der Antonier in Grund-gestürtztes Haus   26
   Sein sanftes Bette sei. Wo zielt der Rath hinauß?
   Daß ich / der ich vielleicht noch Jahr und Tag kan leben /
   Mich heute stürtzen sol? Wenn Cato sich ergeben
   Dem Julius / als er sich selber hat gestürtz't
   Ihm wär' auf diesen Tag nicht Geist nicht Ruhm verkürtz't. 27
   Selbst Sosius gesteh't und ihr verjah't es alle:

Des Lägers Anfall kühl' und lesch' uns nur di Galle;
Stürtz' aber uns noch heut' in di noch ferne Noth.
August hat übers Jahr nicht mehr als einen Todt
Für mein und euren Hals. Laß't über's Jahr uns sterben. 275
Wir können itzt nicht mehr als künfftig Ruhm erwärben.
Wenn endlich Hofnung auch uns wird zu scheitern gehn /
So mag Verzweifelung den letzten Sturm außstehn.
C a n i d i u s. Wenn Tacht und Oel entgeht den lodernd-
                        hellen Flammen /
So zeucht der letzte Strahl die gantze Glutt zusammen: 280
Wenn sich der Sonne Rad sänckt in die düstre See /
So siht man: daß sie erst mit Blutte nidergeh;
Wenn Seele Sinn und Geist auß Marck und Adern
                        stertzen /
So fängt der Tod erst an zu kämpfen mit dem Hertzen:
So mag / wenn Stadt und Reich mehr keinen Athem hat / 285
Di Sonne dieses Reichs das Hertze dieser Stadt
Der grosse Fürst Anton mit letzten Tugends-Strahlen
Der Freiheit einen Sarch / ihm sein Begräbnüß mahlen.
H a u p t l e u t.
Der letzten Meinung fällt Soldat und Bürger bei.
A n t o n i u s.
Daß Bürger und Soldat treu- und behertzter sei / 290
So läß't ihm auch Anton der meisten Schluß beliben.
Uns hat der schärfste Sturm oft in den Port getriben:
Da oft ein sanfter West lägt Thurm und Fels in graus.
Man sprenge durch di Stadt bei Rath und Pöfel auß:
Rom hette selber sich aufs Keisers Hals verschworen / 295
Phraates schick' uns Volck / und Juba seine Mohren /
Es hab Abißinen den Harnisch angelegt /
Der stoltze Rhein den Schaum für unser Heil bewegt.
Daß Caelius den Port / Canidius di Wälle /
Archibius di Burg in sichre Waffen stelle. 300

279 Tacht = Docht.

Antonius. Cleopatra. Ein Hauptman.

C l e o p a t r a.
Mein Fürst! mein Haupt! mein Hertz!
A n t o n i u s.   Mein Schatz! mein süsses Licht!
  Wie! daß das Thränen-Saltz ihr auß den Augen bricht?
  Daß sich ihr Hertze muß mit holen Seufzern kühlen?
  Wie / daß die Brüste so mit kurtzem Athem spielen?
  Was wird durch diese Wolck' uns für ein Blitz gebracht?   305
C l e o p a t r a. Mein Trost / mein Auffenthalt / als nach
                     durchküster Nacht
  Di Sonn' auß Thetis Bett' / ich auß deß Fürsten Armen
  Di satten Glider hob / fiel ich / umb das Erbarmen
  Der Götter über uns zu suchen / fürs Altar /
  Wo man dem Apis reicht di heil'gen Opffer dar.   310
  Ich streute Weyrauch auf; es wolte keiner brennen;
  Der Abgott wolte nicht di besten Früchte kennen /
  Mit welchen iemals ihn di Vorwelt hat gespeist;
  Ja / wie ein wilder Nord / der durch di Hölen reist;
  So fing sein Ebenbild erschrecklich anzubrüllen /   315
  Biß endlich Thränen ihm auß dem Gesichte fiellen /
  Der voll von kalter Furcht mit beben fast verging /
  Und auf den Boden sanck. Nach solcher Angst umbfing
  Den güldnen Opffer-Tisch ein unversähnes Zittern /
  Als man der Isis Bild sich sahe gantz zersplittern;   320
  Serapis silbern Haupt fiel von sich selbst entzwey.
A n t o n i u s.
  O / daß der Himmel uns nicht ewig ab-hold sei!
C l e o p a t r a.
  Man sahe durch den Hoff di todten Geister irren
  Den Crocodil bethränt / di heilgen Schlangen girren /
  Als ein gantz frembder Drach' in ihren Tempel kam /   325
  Und zwischen Dampf und Rauch mit zischen Abschid
                     nam.
  Der hochgeweih'te Fisch verlohr di Silber-Schopffen /

---

327 Schopffen = Schuppen.

Di nie bewölckte Luft / auß der kein Wasser-Tropffen
Nie raan / zerfloß in Blutt. Es kam kein süsser Thon
Auß Memnons Marmel-Seul / ob Titans Fackel schon   330
Auf dieses Wunder-Bild di glüend-heissen Strahlen
Mit tausend Funcken warff. Di rundgeperlten Schalen
Mit den di Pristerschaft den durch unschuldig Blutt
Entweihten Nil versöhnt / zersprangen in der Flutt /
Als der sonst sanfte Fluß mit ungeheurem schäumen   335
An dem durchborten Rand' und außgerißnen Bäumen
Den grausen Zorn außließ / uns aber sagte wahr:
Egyptens Untergang / und Ende sei nun dar.
Antonius.
Getrost! di Opffer sind ein Port bei solchen Wettern.
Cleopatra.
Di Opffer werden ja verschmäht von unsern Göttern.   340
Antonius.
Di Andacht ist der Blitz / der durch di Wolcken bricht.
Cleopatra.
Ach! das Verhängnüß beugt sich durch di Andacht nicht.
Antonius.
Di Götter wollen mehr als einmal sein gebethen.
Cleopatra.
Gott hört den nicht / den er wil in den Abgrund treten.
Antonius.
Furcht kehr't ein zitternd Laub in einen Donnerschlag.   345
Cleopatra.
Ach! daß bei solchem Sturm' er ichtwas hoffen mag!
Antonius.
Der Himmel / der uns oft erlößt hat / heist 's uns hoffen.
Cleopatra.
Wer offtmals wird gefehlt / wird endlich doch getroffen.
Antonius. Gott heilet Angst durch Angst! di Aertze
                        Gifft durch Gifft.
Cleopatra.
Ach! daß der lichte Blitz denn nur di Cedern trift!   350
Antonius. Es treffe Fall und Blitz di Cedern unser Ehren;

Nichts wird den Lorber-Krantz der Tugend uns versehren.
Der Muth erwarb den Thron; der Zufall raff' ihn weg:
Es brennt das Ungelück uns keinen Ehren-Fleck.
Gedult und Hoffnung ist di Salbe dieses Brandes.   35
Prinzeß / Sie nehm' in acht di Würden ihres Standes /
Und faß' im tiefstem fall' ihr diesen Muth in Sinn:
Sie sterb' Egyptenlands gebohrne Königin.
So steh't und fällt Anton. Oft zeucht das Ungelücke
Das schon gezückte Beil von Hals und Kopff zurücke /   36
Wenn es di Tugend siht mit starren Augen an:
Daß sie mehr / als sie drückt / behertzt erdulden kan.

Hauptmann. Mein Fürst!
Cleopatra.   ach Gott!
Antonius.   Was ists?
Hauptmann.   August sucht für Gesandten
Geleits-Brief und Verhör.
Antonius.   Der Hauptman der Trabanten
Empfange / di er schickt. Gebt ihm / was er begehrt.   36
Di Botschafft werd' aufs Schloß mit höchster Pracht
                                        gewehrt.
Rufft den geheimen Rath in innern Saal zu sammen.

Der Schauplatz bildet ab den geheimen Verhör-Saal.
Proculejus. Antonius. Sosius. Canidius. Caelius.

Proculejus.
Di Nachwelt / grosser Held / wird ewig uns verdammen:
Daß das so grosse Rom / daß nie kein Feind verletzt /
Ihm selbst di Kling' an Hals / den Dolch ans Hertze sätzt.   370
Verzagte Porsena für eines Römers Tugend /
Erlag der Spartacus durch di behertzte Jugend /
Fiel Hannibals Gewalt durch unsrer Eltern Arm /
Darumb: daß Rom ihm selbst den Dolch stoß' in den
                                        Darm?
Das Capitol ward nie von Galliern bestritten;   375

Jüngst hat's vom Sylla selbst den Schiffbruch erst erlitten /
Wer zweifelt / daß di Frucht di Mutter selber frist;
Der schau deß Marius / deß Cinna böse List
Und wildes wütten an. Den grimmen Catilinen
Muß warmes Menschen-Blutt für Malvasiere dienen /   380
Das di verfluchte Schaar ʾzu stärcken ihren Band
Zu stürtzen in den Grund ihr güldnes Vaterland
Auß den Kristallen trinckt. Es bleib' anitzt vergässen:
Was deß Pompejus Brand für Römer hat gefrässen;
Wieviel der jüngste Krieg hat Bürger-Blut verzehrt /   385
Seit dem Antonius das rach-begier'ge Schwerdt
Auf den August gezück't. Und / ob di Freundschafts-
                             Wunden
Zwar minder / als ein Glas / stets haben Pflaster funden;
So beut August ihm doch Vert[r]ag und Frieden an.
Weil Er diß bluttge Spiel nicht ferner schauen kan.   390

Antonius.

Der Himmel geb' es nach! ihr Götter last's geschehen!
Daß Rom sich ohne Blutt / uns ohne Zanck mag sehen!
Daß einmal dem August der Völcker herbes Weh
Daß Blut-Bad unsrer Stadt noch zu Gemütte geh /
Daß er deß Reiches Fall / der Länder Brand erwege   395
An Eyd und Bündnüß denck'. Octavianus lege
Di schuld ja nur auf mich! es weiß es Gott und Welt:
Daß Rom nicht vom Anton / nein / durch den Keiser fällt.
Wieviel hat Lepidus ihm nicht mit Glimpf' enthangen?
Mein Brief hat Stahl und Bley zur Antworts-Schrifft
                             empfangen /   400
Wie! daß man / eh' ich todt / mein Testament erbricht?
Jedoch / di Unschuld darf der Nebel-Kappen nicht.
Augustus hat den Stahl auf unsre Brust geschliffen /
Eh ich für unser Heil Papier und Tint' ergriffen;
Man hat das Völcker-Recht vergässen gegen mich /   405
Den Krieg nicht angesagt / biß daß ich Schwerd und Strich

388 sich weniger heilbar als zerbrochenes Glas erwiesen haben.
399 enthangen = gestattet.

Auf meiner Haut empfand. Jedoch ich wil's verschmertzen.
Di Warheit dient hier mehr zu einer Zwitrachts-Kertzen
Als zur Vereinigung. Man nimmt mit beider Hand
Den Friedens Vorschlag an. Schlag't uns für diesen Brand 410
Ein thulich Mittel vor.

P r o c u l e j u s.   Diß wird August euch gönnen:
Wie aber wird der Artzt sie angewehren können /
In dem der Krancke nichts von Kranckheit wissen wil?

A n t o n i u s. Mit was beleidigen wir euer Ohr zu viel?

P r o c u l e j u s.
Mit dem: daß Caesar sol deß Krieges Uhrsprung heissen. 415

A n t o n i u s. Bleicht / wascht den braunen Mohr / er wird
                            nicht schöner gleissen.

P r o c u l e j u s.
Anton zwang selber uns die blancken Waffen ab.

A n t o n i u s. Erzählt / mit was er euch so hefftig Ursach gab.

P r o c u l e j u s.
Anton ließ / die August begnädigt hatt' / ermorden.

A n t o n i u s.
Nicht einen / der nicht ihm durch Laster schuldig worden. 420

P r o c u l e j u s.
Welch Laster hat Anton auf den Pompejus bracht?

A n t o n i u s.
Diß: daß Pompejus ihm nach Volck und Land getracht.

P r o c u l e j u s.
Man ließ den Argwohn ihm nicht Zeit zuwiderlegen.

A n t o n i u s.
Man muß kein Blutgericht' auf hohe Häupter hegen.

P r o c u l e j u s. Der Röm'sche Raths-Herr starb am Strange /
                           wie ein Knecht. 425

A n t o n i u s.
Verrätherey nimmt weg Stand / Würden / und Geschlecht.

P r o c u l e j u s.
Man konte den Verdacht mit linderm Urtheil rächchen.

409 mit beider Hand = mit beiden Händen, begierig.
412 angewehren = anbringen.

Antonius.
  Di Schlange / di den Kopff noch rühret / wil stets stächchen.
Proculejus.
  Anton nam mehr / als ihm di Theilung zu ließ / ein.
Antonius.
  Endeckt es / wo wir ie zu weit gegangen sein. 430
Proculejus.
  Anton hat ja für sich Egypten eingenommen.
Antonius.
  Wenn ist Egyptenland auf Caesars Drittel kommen?
Proculejus.
  Anton bekam es auch so wenig durch das Looß.
Antonius.
  Mich macht Cleopatra durch ihren Braut-Schatz groß.
Proculejus.
  Cleopatra verschänckt / was Römisch ist / nicht rühmlich. 435
Antonius.
  Ist denn di gantze Welt der Römer eigenthümlich?
Proculejus.
  Wie weit der Waffen Recht sie ihnen dienstbar macht.
Antonius.
  Wer hat Canopus Reich ins Römische Joch gebracht?
Proculejus.
  Canopus gantzes Reich fiel für dem Caesar nieder.
Antonius.
  Wie Caesar es gewahn / verlohr es Caesar wider. 440
Proculejus.
  Anton gab über diß ein Theil deß Reichs weg.
Antonius.
  Wo diß gesündig't / ist August nicht ohne Fleck.
Proculejus.
  August gab denen nichts di nur zur Spindel taugen.
Antonius.
  Ich merck's: Cleopatra sei euch der Dorn in Augen.
Proculejus. Den Männern kommt der Thron / den
                        Weibern Bettgewand. 445

Antonius.
  Gab Caesar ihr doch selbst den Zepter in di Hand.
Proculejus.
  Ach! wenn Cleopatra bei ihrem Zepter blieben!
Antonius.
  Wem hat sie ausser dem Gesätze vorgeschrieben?
Proculejus.
  Dem / der di dritte Sonn' im Römschen Reiche war.
Antonius.
  Wer diese Schmach vollführt / vollführt sie mit Gefahr. 450
Proculejus.
  Wil man der Völcker Recht an den Gesandten brächchen?
Antonius.
  Gesandten sollen uns nicht mit Verleumbdung stächchen.
Proculejus.
  Augustus wird beschimpft / nicht ich; ich bin sein Mund.
Antonius.
  So mache Proculei di Stacheln nicht zu bund.
Proculejus.
  Augustus wird durch mich Cleopatren nicht loben.   455
Antonius.
  Di Tugend hat ihr Lob biß zum Gestirn' erhoben.
Proculejus.
  Ja! hätte nicht ihr Geist gesegelt allzu hoch.
Antonius.
  Gott lob! es schifft ihr Geist itzt auch im Sturme noch.
Proculejus. Mehr schifft' er: wenn sie ihr nicht Rom
                                wolln dinstbar machen.
Antonius.
  Di Kinder werden auch so plumper Larven lachen.   460
Proculejus.
  Es gab's sein Testament / ihr Tittel an den Tag.
Antonius.
  Sie geben's / wenn man sie nicht redlich deuten mag.
Proculejus.
  Anton hat ihr zu lieb' Octavien verachtet.

A n t o n i u s. Weil man uns nach dem Kopff hat durch diß
Weib getrachtet.

P r o c u l e j u s. Blutt-Freundschaft / Schwägerschafft trägt
die nicht beßre Frücht'. 465

A n t o n i u s.
Di Stadt-sucht Tulliens kennt Blutt und Vater nicht.

P r o c u l e j u s.
Gantz Rom strafft: daß er hat Cleopatren erwählet.

A n t o n i u s. Di Welt: daß Nerons Weib ihm schwanger
ward vermählet.

P r o c u l e j u s.
August hat euch kein Leid durch Livien gethan.

A n t o n i u s.
So gieng Cleopatra den Keiser auch nicht an. 470

P r o c u l e j u s.
Viel! denn es must' ihr ja deß Keysers Schwester weichen.

A n t o n i u s.
Anton verstieß sie nur nach Römischen Gebräuchen.

P r o c u l e j u s.
Wer hat ein Römisch Weib ie Mohren nachgesätzt?

A n t o n i u s.
Mit wieviel frembden hat sich Caesar nicht ergätzt?

P r o c u l e j u s.
Ergätzt: sie aber nicht in Eh' und Thron erhoben. 475

A n t o n i u s.
So ist di freye Lust mehr / als di Eh zu loben?

P r o c u l e j u s.
An dem wol / welcher noch der ersten ist vermählt.

A n t o n i u s.
Ich hatt' Octavien fürlängst schon loß gezählt.

P r o c u l e j u s. Diß Loß-zähln hat fürlängst das Römsche
Volck verwehret.

A n t o n i u s.
August hat selbst zur Eh' ein Getisch Weib begehret. 480

---

466 Stadt-sucht = Staatssucht, politischer Ehrgeiz.

Proculejus.
Wenn hieng August so sehr der Barbarn Libe nach?
Antonius. Als er auch Julien dem Cotison versprach.
Proculejus.
Man zischt das Feuer auß / das von sich selbst ersticket.
Antonius.
Mehr: daß er in halb Rom di Frauen hat beschicket.
Proculejus.
Man hat an Livien nie Eyver-sucht verspürt.   485
Antonius.
Weil di verruchte sie ihm selbst hat zugeführt.
Proculejus. Was pflegt nicht Neid und Feind auf Tugend
                                    außzusprengen?
Antonius.
Scribonie muß fort / als sie's nicht wil verhängen.
Proculejus.
Man drückt ein Auge zu für das gemeine Heil.
Antonius.
Ihm war sein eigen Leib für Gold und Erb-recht feil. 490
Proculejus.
Mit was entschuldigt man denn Artabazes Ketten?
Antonius. Mit dem: daß man den Wurm / der stechen
                                    wil / muß tretten.
Proculejus.
Hat Artabazes doch kein Schwerd niemals gerührt.
Antonius.
Wer klug ist / schaut auch diß / was man im Schilde führt.
Proculejus.
Verdacht befleckt oft den / der wenig böses denckt.   495
Antonius. Den billich / der nicht trinckt / was er selbst
                                    eingeschencket.
Proculejus.
Was schenckt' er ein / daß er zu trincken abscheu trug?
Antonius. Daß er in Parthen nicht mit uns zu Felde zug.
Proculejus.
Muß man denn Könige bald in di Fässel schlagen?

Antonius.
    Jugurtha muste Stahl; den ließ man Silber tragen.   500
Proculejus.
    Durch andrer Fehler wird der eigne nicht verblümt.
Antonius.
    Was ists denn / das ihr so an dem Augustus rühmt?
Proculejus.
    Was ist es / daß man kan an dem Augustus schälten?
Antonius.
    Daß Bundgenoß und Freund bei ihm zu wenig gälten.
Proculejus.
    Wenn hat Augustus nicht das Bündnüß steif erfüll't?   505
Antonius.
    Als er deß Lepidus sein theil für sich behielt.
Proculejus. Wer Sieg und Weinberg pflantzt / dem kommt
                             auch Beuth' und Trauben.
Antonius.
    Augustus solt' ihn gar der Würde nicht berauben.
Proculejus.
    Er gieng mit dem Pompei' ein heimlich Bündnüß ein.
Antonius.
    Mit Fug / dieweil er solt' Augustus Sklave sein.   510
Proculejus.
    Ein Sklave der Natur muß aller Sklave bleiben.
Antonius.
    Man muß durch diesen Keil nur nicht auch and're treiben.
Proculejus.
    August hielt den Anton in allem werth und lieb.
Antonius.
    Nicht / als er Sextus Heer zu seinen Fahnen schrieb.
Proculejus.
    Daß er mit ihnen Reich und Stadt beschützen wolte.   515
Antonius.
    Daß Rom und Welschland ihm alleine dienen solte.
Proculejus.
    Genung! Augustus nimmt hier keinen Richter an.

Antonius.
    Wie / daß man dis / was recht / so sparsam hören kan?
Proculejus.
    Man hör't besigte nicht / den Sieger muß man hören.
Antonius. Mein Stand mag den August / was Glück' und
                                    Glas sei lehren.   5

Proculejus.
    Euch kommt das bitten itzt mehr als di Lehre zu.
Antonius.
    Was schlägt August denn für zum Mittel neuer Ruh'?
Proculejus.
    Augustus wil durch mich der Welt und Nachwelt weisen:
    Daß er auf diesen Tag verdamme Stahl und Eisen /
    Daß er deß Reiches Heil / di Wolfahrt deß Anton /   5
    Di Freiheit der Stadt Rom / nicht den vergälten Thron /
    Nicht schwerer Scepter Gold nebst aller Menschen
                                    Fluche
    Nach der besigten Welt durch seine Waffen suche:
    Er legt den Augenblick di grünen Palmen hin /
    Zeucht Tartsch und Harnisch auß / wo nur Anton auch
                                    Sinn   5
    Auf Ruh und Freundschafft träg't. Es mag Anton
                                    behalten /
    Wieviel das Bündnüß ihm verlihe zuverwalten /
    Es bleib' ihm Sirien und Colchos unterthan /
    Es steck' Arabien ihm süssen Weyrauch an /
    Es mögen Grich' und Pont / gantz Asien ihn ehren;   5
    Es wolle nur Anton auch in der That itzt lehren:
    Daß sein Gemütte nicht zu sehr Egyptisch sei.
Antonius.
    Augustus macht hierdurch sich alles Argwohns frei /
    Pflantzt statt der Schel-sucht Gunst in aller Bürger
                                    Seelen.
    Di Welt und Nachwelt wird ihm Stein und Ertzt
                                    außhölen /   5

520 Stand = Zustand, Lage.

Sein Bildnüs in Porphir / in Alabaster haun /
Aus Gold und Marmel ihm Gedächtnüß-Seulen baun /
Rom wird Augustus Schwell' und Caesars Schatten
küssen /
Wenn er das Friden-Thor des Janus auff wird
schlüssen;
Der Parthe wird ihm sein gutwillig unterthan / 545
Rom alle Julier in Tempeln beten an.
Anton wird / was August und Rom haß't / ewig hassen.
Was aber sol er denn Egyptisches verlassen?

Proculejus.
Egiptens übrig Theil dem Kayser räumen ein /
Mit der Octavien nicht mehr gesondert sein / 550
Den König Artabaz auf freie Füsse stellen.

Antonius.
Ha! könt' Octavius ein stränger Urtheil fällen.

Proculejus.
Ist umb Egypten denn ihm alle Wolfahrt feil?

Antonius.
Warumb begehr't August dis weit-entlegne Theil?

Proculejus.
Weil dem di Wahl gehör't den Sieg und Palmenkräntzen. 555

Antonius.
Er nähm' ihm Länder hin / di ihm bekwämer gräntzen.

Proculejus.
Der Nilus eben gräntzt dem Kayser gar bekwäm'.

Antonius.
Man läßt: daß er dafür gantz Griechenland ihm nähm'.

Proculejus.
Gantz Grichenland ist nicht Egypten zuvergleichen.

Antonius.
So mag der Hellespont für ihm di Segel streichen. 560

Proculejus.
Di Wisen tragen mehr als steinicht' Inseln ein.

Antonius.
Ihm mag der Araber mit Golde zinßbar sein.

P r o c u l e j u s. Der Ost-Welt Korn-Haus bring't mehr / als
                                    viel Gold-Bergwercke.

A n t o n i u s.
    Wir leiden: daß der Sir' auch seine Macht verstärcke.

P r o c u l e j u s. Es dien't auch Sirien für den Augustus nicht. 5

A n t o n i u s.
    So nähm't mein Drittel hin / und läg't es auf's Gewicht.

P r o c u l e j u s.
    Ein Theil deß Jupiters wigt mehr / als zwey der Brüder.

A n t o n i u s. Sie legten Zanck und Zwist durch Looß und
                                    Glücks-Topf nider.

P r o c u l e j u s.
    Deß Kriges Glück-Topff hat di Theilung hier gemacht.

A n t o n i u s.
    Neptun und Pluto war aufs Krigs-Looß nicht bedacht.   5

P r o c u l e j u s.
    Schild / Helm und Harnisch ist der Fürsten Wage-Schale.

A n t o n i u s.
    Was man auf Stahl gesätzt / verrostert mit dem Stahle.

P r o c u l e j u s.
    Warumb nimmt sich Anton Egyptens so sehr an?

A n t o n i u s. Weil er Cleopatren nichts nicht vergeben kan.

P r o c u l e j u s.
    Er sorgt für di / di er doch selbst muß übergeben.   5

A n t o n i u s.
    Ach! wird Anton von ihr gesondert können leben!

P r o c u l e j u s. Was gib't Octavie Cleopatren bevor.

A n t o n i u s.
    Daß diese dis noch schmückt / was jene längst verlohr.

P r o c u l e j u s.
    Was kan dem Römer an der Mohrin viel gefallen?

A n t o n i u s. Rubin deckt ihren Mund.

P r o c u l e j u s.   Octaviens Korallen. 5

A n t o n i u s. Di Glider sind auß Schnee;

P r o c u l e j u s.   Dort gar auß Helffenbein.

A n t o n i u s. Di Brüst' auß Alabast;

P r o c u l e j u s.   und dort auß Marmel-Stein.
A n t o n i u s. Ihr Sternen deß Gesichts!
P r o c u l e j u s.   Dort sind die Augen Sonnen.
A n t o n i u s. Hier hat di Hold den Sitz;
P r o c u l e j u s.   und dort den Thron gewonnen.
A n t o n i u s.

 Hir strahlt der Tugend Blitz auch durch di düstre Welt; 585
P r o c u l e j u s.

 Ach! daß man schimmernd Glas für Gold und Perlen hält.
 Daß der gewölckte Schaum gefärbter Regenbogen
 Dem Schnecken-Blutte wird deß Purpurs fürgezogen!
 Er fleucht dis / was ihm nützt / küßt di ihm schädlich
             sind /
 Und schlägt sein letztes Heil mit's Keysers Heisch in
           Wind.   590
A n t o n i u s.

 Es sol euch Artabaz noch heute sein gewehret.
 Dis aber / was August an dises Reich begehret /
 Daß ich Cleopatren sol treuloß lassen stehn /
 Schein't ein unmöglich Werck und schimpflich einzugehn.
 Jedoch / sol Proculej noch disen Abend wissen / 595
 Was Zeit und Rath und Recht uns endlich heiß't
           entschlüssen.
P r o c u l e j u s.

 Sehr wol! allein' erweg't: daß einer Frauen hold
 Nur schlipffrig Zucker sei / der Zepter aber Gold.

   M. Antonius. Sosius. Canidius. Caelius.

A n t o n i u s.

 Wir schweben / Sosius / recht zwischen Thür' und Angel.
 Wo sind wir hingebracht? O Jammer-reicher Mangel! 600
 Da der / der vielen rieth' / ihm nicht zu rathen weiß.
 Deß Keysers sanffte Bahn ist spigel-glattes Eiß /

590 Heisch = Wunsch.

Da auch ein Ancker nicht kan ohne gleiten stehen.
Was raths? Eh' oder Thron muß brächchen und vergehen.
S o s i u s.
Der Schwefel-lichte Blitz versehr't / was nach-gibt / nicht / 605
Läss't weiche Pappeln stehn / wenn er den Stahl zerbricht /
Der Eichen Kern erschellt / schlägt auß den Klippen
                                Splitter:
Also zermalmt das Glück' auch steinerne Gemütter /
Wenn es ein wächsern Hertz unangefochten läß't;
Man segelt auf der See nach dehm der Wind uns bläss't; 610
Warumb läßt man nicht auch di Segel geiler Sinnen
Bei'm Unglücks-Sturme fall'n? Anton hat zugewinnen
Ruhm / Ehre / Freundschafft / Thron / wo er sich selbst
                                gewinn't.
A n t o n i u s.
Und alles knechtisch thut / was Caesar an ihn sinn't?
C a n i d i u s.
Es ist kein knechtisch Werck sich selber überwinden.   615
A n t o n i u s.
Wer würde sattsam Fluch für unsre Mißtreu finden?
C a e l i u s. Man hat im liben oft zu endern Fug und Recht.
A n t o n i u s. So schätzt ihr Eh' und Treu und Eyd-schwur
                                so gar schlecht?
S o s i u s.
Wo di zu brechen sind / gescheh's des herschens halben.
A n t o n i u s. Solch Schandfleck / würde der nicht unsern
                                Ruhm besalben?   620
C a n i d i u s. Mehr / wenn er Thron und Reich für Weib
                                und Spindel gibt.
A n t o n i u s.
Was hat nicht Hercules umb Omphalen gelibt?
C a e l i u s.
Er hat umb Omphalen kein Königreich vergeben.

604 Was raths? = Was ist zu raten?
614 an ihn sinn't = ihm ansinnt, zumutet.
620 besalben = beschmutzen.

A n t o n i u s. Es ist Cleopatra viel höher zu erheben.
S o s i u s. Das schönste Weib der Welt ist keines Zepters wehrt. 625
A n t o n i u s. Wie sehr hat Julius Cleopatren begehrt?
C a n i d i u s.
    Zur Lust / sie aber nie ins Eh'bett' aufgenommen.
A n t o n i u s.
    Weil seiner Heyrath nur di Dolchen vor sind kommen.
C a e l i u s.
    Rom glaubte; daß sie war deß Caesars Kurtzweil-spiel.
A n t o n i u s. Er hat sie seiner Eh' versichert oft und viel. 630
S o s i u s.
    Wer oft am meisten schreibt / gedäncket oft das minste.
A n t o n i u s.
    Was hatte Caesar Noth zu brauchen falsche Dünste?
C a n i d i u s.
    Man mahlt verschmähten oft geschminckte Farben für.
A n t o n i u s.
    Was habt ihr? daß der Neid auch tadeln kan an ihr.
C a n i d i u s.
    Anton / das minste nicht. Di holden Wangen lachen / 635
    Auf denen Schnee und Glutt zusammen Hochzeit machen /
    Ihr Himmlisch Antlitz ist ein Paradiß der Lust /
    Der Adern blauer Türcks durch flicht di zarte Brust /
    Zinober quillt auß Milch / Blutt auß den Marmel-Ballen /
    Der Augen schwartze Nacht läßt tausend Blitze fallen / 640
    Di kein behertzter Geist nicht ohne Brand empfind't.
    Ihr süsser Athem ist ein ein-gebisamt Wind.
    Es kan der Schnecke nichts auf Zung' und Muschel rinnen /
    Das den Rubinen wird der Lippen abgewinnen.
    Ihr wellicht Har entfärbt der Morgen-Röthe Licht; 645
    Es gleicht kein Helffenbein sich ihren Glidern nicht
    Und billich hat Anton dis Kleinod hochzuschätzen.
    Ach aber / Thron und Kron ist warlich vorzusätzen.
    Was ist der Schönheit Glantz? Ein köstlich Kleinod zwar /
    Doch lißt man diese Perl' auf Erden dort und dar. 650
    Der Tiber-Strom gebührt vielleicht auch ihres gleichen.

A n t o n i u s.
   Octavie wird ihr den Schatten nimmer reichen.
C a n i d i u s. Man läscht zu Rom den Brand offt auch mit
                                   frembder Flutt.
A n t o n i u s.
   Nein nein! Canidius; di Artznei ist nicht gutt /
   Da ja di Wunde sol der Libes-Pein verschwinden   655
   Muß man das Eisen ihr / daß sie gekerb't / auffbinden.
S o s i u s. Gedult / Vernunfft und Zeit schaff't endlich Heil
                                   und Rath.
A n t o n i u s.
   Nicht / wo Vernunfft und Zeit kein Regiment nicht hat.
   Di Libe läß't ihr Reich durch Klugheit nicht verwirren;
   Der Vogel siht den Leim und läßt sich dennoch kirren /   660
   Di Mutte schaut das Licht / in dem sie sich versängt /
   Das schnelle Reh das Garn in welchem es sich fängt /
   Der Booßman kennt das Glas deß Ancker-losen Nachen:
   Doch kan ihn Witz nicht klug / Gefahr nicht zaghafft
                                   machen:
   So renn't auch / der da libt / selbst sichtbar in di Noth. 665
   Zwey Hafen hat man nur: gewehrt sein / oder todt.
C a e l i u s.
   Wo läßt der hohe Geist sich endlich hin verleiten?
   Man muß der Libe Macht mit mehrerm ernst bestreiten.
   Di Wollust-Rosen sind der Natter heimlich Haus;
   Es frist ein stinckend Wurm di güldnen Aepfel aus.   670
   Ihr Gold ist süsses Gift; ihr Schimmer Blitz und
                                   Flammen.
   Di Winde stäuben itzt das Ilium vonsammen /
   Das auch ein schönes Weib hat in den Grauß gelegt.
A n t o n i u s.
   Der Himmel hat di Brunst / di Brunst den Fall erregt.
C a e l i u s.
   Nein nein! der Himmel ließ dem Paris freien willen.   675

666 gewehrt sein = Gewährung finden, das Ziel erreichen.
672 vonsammen = auseinander.

A n t o n i u s. Was das Verhängnüß schleust muß Erd und
Mensch erfüllen;
C a e l i u s. .
Di Flamme ward vielmehr durch blinde Brunst gesucht.
A n t o n i u s.
Di Libe ließ ihn doch nicht gäntzlich sonder Frucht.
C a e l i u s. Das grosse Troja ward für Helenen verlohren.
A n t o n i u s.
Di Flamme Trojens ward von Hecuben gebohren.   680
C a e l i u s.
Di durch der Tugend Wind gar bald zu dämpffen war.
A n t o n i u s.
Wer nicht di Libe kennt / der baut ihr kein Altar.
S o s i u s. Wer Thron und Krone kenn't / nimmt Thron und
Kron für alles.
A n t o n i u s.
Wer hoch steht / tröste sich auch eines hohen Falles.
S o s i u s.
Der fäll't offt tieffer ab / der keinen Zepter trägt.   685
A n t o n i u s.
Man weiß: daß Blitz und Keil meist in di Gipfel schlägt.
S o s i u s.
Wer kan di Herrligkeit der Krone sattsam rühmen.
A n t o n i u s.
Glaubt: daß mehr Dörner sie als Lilgen nicht beblümen.
S o s i u s. Di Sternen weichen selbst der Diamanten Glutt.
A n t o n i u s.
Der Diamant hegt schweiß / Rubine deuten Blutt.   690
S o s i u s.
Wer hat deß Zepters Gold deß Purpers Glantz geschätzet?
A n t o n i u s.
Ein Sack / ein Hirten-Stab / hat oftmals mehr ergätzet:
S o s i u s.
Was sind di Fürsten sonst als Götter dieser Welt?

---

688 ‚nicht' nach heutiger Ausdrucksweise überflüssig.

Antonius.
  Di oft der Libes-Gott in Schäffer hat verstellt.
Sosius. Di zarte Libe kan in Purper weicher nisten.   695
Antonius. Sie wird / eh als sie weich't / auf Haar und
                        Stroh sich fristen.
Sosius. Der Purper deß Anton verträgt di Libe wol.
Antonius. Nicht wo Cleopatra sich von ihm trennen sol.
Sosius. Wie viel Cleopatren kan ihm sein Drittel geben.
Antonius.
  August begehr't: ich sol mit seiner Schwester leben.   700
Sosius. Ein solches Reich ist wol Octaviens noch wehrt.
Antonius. Weh dem! der Schlang und Molch in Schooß
                        und Busem nehrt.
Canidius. Wir müssen Schlang und Molch mit kluger
                        Sanfftmuth zähmen.
Antonius.
  Sol ich das Unkraut noch mit linder Wartung sämen?
Canidius.
  Di macht den Panther zahm / nimmt Schlangen ihre Gifft. 705
Antonius.
  Glaubt: daß ein lüstern Weib di Schlangen übertrift.
Canidius.
  Offt hat uns di ergätzt di wir zu vor vertrieben.
Antonius.
  Ich kan Octavien den bösen Wurm nicht liben.
Sosius.
  Wer Wol regiren wil / thut mehr als dis zum Schein.
Antonius. Was lobet ihr mir noch für grause Laster ein. 710
Canidius.
  Man muß mit Giffte Gifft / mit Liste List vertreiben.
Antonius.
  Ach! wessen Dinst-Magd wird Cleopatre verbleiben?

  699 ‚Cleopatren‘ ist Accus. plur. Sinn: wie viele schöne Frauen er haben
kann, wenn er das ihm angebotene Drittel annimmt.
  704 sämen = fruchtbar machen.
  710 lobet ein: preiset an.

Caelius.

August wird Königlich Geblütte nicht so schmähn.

Antonius.

Rom hat viel Fürsten schon in Pfahl und Stahl gesehn.

Sosius. Rom hat viel Könige / di es bezwang / belehnet. 715

Antonius.

Vergebens! Rom wird nur durch ihren Schimpff versöhnet.

Canidius.

Wenn Schiff und Mast versinckt / sorgt ieder nur für sich.

Antonius. Wer setzte sein Gemahl so liderlich in Stich?

Caelius.

Schickt Masanissa nicht ein Gifft-Glas Sophonisben?

Antonius.

Hingegen Piramus stirb't neben seiner Thisben. 720

Sosius. Diß letzte Fabel-Werck kommt keinen Helden zu.

Antonius. So räthstu: daß ich dis was Masanissa / thu?

Sosius. Ich thät's.

Antonius.   ach! solt ich so an ihr zum Hencker werden.

Sosius.

Was Masanissa thät / rühm't noch der Kreiß der Erden.

Antonius. Di Porcellane wird der Gifft-Verräther sein. 725

Sosius.

Es darf kein Meichel-Mord den Gift-Kelch schäncken ein.

Antonius.

Meinstu / di Fürstin wird dis Gifft mit wissen nähmen?

Sosius. Wo Sophonißbe nicht sol ihren Ruhm beschämen /

Di den Gestirnen hat ihr Grabmahl eingeetz't /

Als sie den Gifft-Kelch hat so freudig angesetz't 730

Umb ihres Libsten Ruhm / und Zepter zu erhalten.

Antonius.

Mein Liben wird auch nicht durch ihren Todt erkalten.

Sosius. Di Zeit half: Daß Anton der Fulvien vergaß.

Antonius. Als er mit neuer Lust Cleopatrens genaß.

714 in Pfahl und Stahl = in Ketten und Banden.
725 Sinn: Sie wird jeden Becher für einen Giftbecher halten.
734 genaß = genoß.

S o s i u s. Es wird / wenn di schon weg / ihm doch an Lust
nicht fehlen. 735
A n t o n i u s.
 Ich würde müssen mich mit's Keisers Schwester kwälen.
C a n i d i u s.
 Im Land' ist keine nicht / di Fürsten was versagt.
A n t o n i u s.
 Denckt: mit was Ruhm ihr Holtz zu ihrem Feuer tragt.
C a n i d i u s. Mit was für Ruhme sie bei Actium gefochten.
A n t o n i u s.
 Der Sieges-Krantz ist auch für Weiber nicht geflochten. 740
C a n i d i u s. Di grosse Fulvia hat's Helden vorgethan.
A n t o n i u s.
 Den Männern steht der Helm / di Haube Weibern an.
C a n i d i u s.
 Oft würde Weibern auch di Treue wol anstehen.
A n t o n i u s. Wenn ließ Cleopatra der Treue was entgehen?
C a n i d i u s. Als sie Pelusium vorsätzlich uns entzog. 745
A n t o n i u s.
 Nicht sie / Seleucus war's der uns und sie betrog.
C a n i d i u s.
 Sie stieß uns zum Verterb di Schiffe vom gestade.
A n t o n i u s.
 Weil derer Zuflucht sie hier ließ allein im Bade.
S o s i u s. Sie machte: daß von uns di Schiff-Armee fiel ab.
A n t o n i u s.
 Mit was Vermässenheit sucht ihr der Fürstin Grab? 750
S o s i u s. Weil ihr ihr Sarch nach Ruhm / und ihm den
Thron kan geben.
A n t o n i u s. Muß denn das Reich auf Mord / der Thron
auf Blutte schweben?
S o s i u s.
 Bei disem Sturme kan der Ancker sonst nicht ruhn.
A n t o n i u s.
 Entweicht. Wir woll'n allein' erwegen / was zu thun.

Reyen.

Der Göttin deß Glücks. Des Jupiters. Des Neptunus. Des
Pluto. Wie auch der Himmlischen Götter / als deß Mars,
deß Apollo, und Mercurius. Der See-Götter / als des Proteus
des Triton / des Glaucus, denn der Höllen-Götter / des
Minos, des Aeacus, und Rhadamanthus.

Fortuna.

> Ihr güldnen Himmels-Rosen ihr /   755
> Di ihr mit Gold und Glutt den Himmels-Garten blümt /
> Komt / werdet itzt zu Palmen mir /
> Umbkräntzt mein Haupt / wie sich den Siegern sonst
> > geziehmt /
> > Gib / Chloris / deine Lilgen her:
> Daß man mein blaues Haupt mit ihrem Silber stückt: 760
> Ihr Nimfen / macht di Muscheln leer /
> Beperlt den Hals / für dem sich Erd' und Himmel bückt.
> > Ihr schnöden Sterblichen der Welt /
> Kombt baut mir Tempel auf / steckt safftgen Weyrauch
> > an /
> Weil meine Gottheit / Gold und Geld   765
> Ruhm / Zepter / Infel / Thron und Weißheit geben kan.
> > Ihr Götter kommt küßt meinen Fuß /
> Dem Himmel / Helle / Meer muß unterworffen sein:
> Ihr wisset den Verhängnüß-Schluß:
> Daß ich Saturnus Erb' in euch sol theilen ein.   770

Jupiter. Neptunus. Pluto.

> Wir stell'n uns ein / und fallen dir zu Füssen;
> Umb / grosse Göttin / deines Zepters Gold /
> Der der Natur di Gräntzen sätzt / zu küssen.
> Es tröstet sich iedweder deiner Hold.
> > Wir opffern dir di Demuth unsrer Hertzen.   775
> Weil Weyrauch ja zuvor dein eigen ist.

---

766 Infel = infula = Priesterbinde, Bischofsmütze.
770 Saturnus Erb' = die Welt.
777 stertzen = schwinden; vgl. V. 283.

Ihr irrdisch's Volck / last di Gedancken stertzen:
Daß man sein Theil hier ungefähr erkiest.
   Di Thorheit pflägt das Glücke blind zu nennen.
Was opffert ihr der / di kein Opffer siht /   780
Der Aber-Witz läst Oel und Ampeln brennen
Der / derer Thun keinmal nach Gunst geschiht.
   Nein nein! geirrt! di Göttin theilt di Gaben
Mit wohlbedacht / meist auch nach Würden auß.
Sie hat gewüst / was ich und du sol haben /   785
Eh Sonn' und Mond' umblief das Sternen-Haus.

Fortuna.
   Kommt loos't / ihr Götter / umb di Welt.
Dis Schürtz-Tuch hier verdeckt / di Helle Stern' und
                         Wellen.
Weil dieser Glücks-Topf in sich hällt
Den Blitz; den Drey-Zancks-Stab / di Schlüssel zu der
                         Hellen.   790

Jupiter.
   Glück zu! glück zu! ach Göttin nicht entferne
Mir dein Gesicht! verleihe Glück' und Heil!
Glück zu! glück zu! mein Erbtheil sind di Sterne /
Sehr wol geloos't! hier ist der Donnerkeil.

Neptunus.
   Laß / Göttin / nicht mein Hoffnungs-Schiff erschellen / 795
Zeuch nicht von mir der Augen Leit-Stern ab!
Glück zu! glück zu! Mir kommen Meer und Wellen.
Sehr wol geschifft; hier ist der Drey-Zancks-Stab.

Pluto.
   Wie ungleich ist Saturnus Reich zerstücket!
Mir bleibet nichts / als Radamanthus Stul.   800
Jedoch nim hin! was das Verhängnüß schicket!
Hier sind di Schlüssel zu der Hellen Pful.

Fortuna.
   Auf auf! betretet Reich und Thron.
Lufft / Himmel / Helle / Meer verlanget euer Licht.

790 Drey-Zancks-Stab = Dreizack des Neptun (Zanke = Zacke).

Di andern Götter kommen schon 805
Zu schweren bey dem Styx euch Treue / Schuld / und
Pflicht.
A p o l l o. M a r s. M e r c u r i u s.
Beherscher deß Himmels / und König der Brüder /
Wir legen den Bogen / den Harnisch / und Stab
Für deinem gestirneten Throne darnider /
Wir treten dir Sternen und Königreich ab / 810
Wir ligen in Dehmuth dir ewig zu Füssen.
Nur lasse dein Nektar uns ewig genüssen.
T r i t o n. G l a u c u s. P r o t e u s.
Fürste der schäumenden Wasser-Kristallen /
Thetis verehret dir Perlen aus Schnee /
Triton di Muscheln / und Glaucus Corallen / 815
Proteus reicht dir di Schlüssel der See:
Lasse nur in den umbschilfften Gestaden /
Vater / uns neben den Najaden baden.
M i n o s. A e a c u s. R h a d a m a n t h u s.
Du grosser Printz der unter-irrdschen Hölen /
Hier opfern dir di Richter blasser Seelen: 820
Schau / Minos legt den Zepter für dir ab /
Und Aeacus den schweren Richterstab /
Der Radamanth di Fackel und di Rutte /
Laß das Elyser Feld uns nur zu gutte.
A l l e G ö t t e r.
Himmel / Meer / Helle / bleib't ewig in Ruh. 825
Euer Reich reichet drey Jupitern zu.

NB. In diesen Reyen sitzet anfänglich di Fortuna auf einer
grossen Welt-Kugel / habende blau aufgeschürtzte Kleider.
Di Himmlischen Götter sind in Purperfarbe / di See-Götter
Meergrün / di Hellischen Eisenfarbicht bekleidet.

Di andre Abhandlung.

Der Schau-Platz bildet ab der Cleopatra Zimmer.
Cleopatra. Cyllenie. Archibius.

Cleopatra.
  Hilf Himmel! wir sind hin! wir sind darhinter kommen:
  Warumb man heute dich nicht hat in Rath genommen.
  Die Schlangen kochen Gift auf ihrer Mutter Brust;
  Di sie biß itzt noch säugt! ha schlimme Mörder-Lust!
  Augustus und der Rath lig't unter einer Decken.   5
  Anton sol selbst di Faust durch unser Blutt beflecken /
  Di Baare wird uns schon fein scheinbar zugericht'.
  Wohnt keine Treue mehr bei keinem Römer nicht!
  Gewissenhafftes Rom! komm borge bei den Mohren /
  Di wahre Redligkeit di du für längst verlohren.   10
  Komm kauff' in Creta dir di theure Warheit ein!
  Nun deine Götter selbst nichts als Betrüger sein.
  Vermaledeytes Volck! verteufelte Gemütter!
  Ihr gebet Gott für Gold / tauscht für di Seelen Gütter /
  Gebt Mord für Gottesfurcht und Gifft auß für Gewin /   15
  Werfft Ehgemahl und Kind für Hund und Panther hin!
  Schätzt für Barmhertzigkeit in eignes Fleisch zu rasen.
  O daß der Blitz euch nicht di Lichter außgeblasen /
  Daß euch der Regen nicht mit Schwefel hat verzehr't /
  Eh ihr di Segel hab't auf unsern Port gekehrt!   20
  Ich meine dich Anton und deine Mordgesellen /
  Di mit geschminckten Gifft' uns nach dem Leben
                                              stellen /
  Und schwartzen Hütten-rauch für Bisam flössen ein.
  Kan auch ein Basilischk' also verbittert sein?
  Wir lästern den August: daß er den Stahl geschliffen   25
  Und als ein redlich Feind nach unser Kron gegriffen;
  Und küssen den / der doch für Witz und Tugend hällt:

---

11 Die Kreter waren als Lügner sprichwörtlich.
24 Der Blick des Basilisken tötet.

Daß der kein Feind nicht sey / der sich als Freind nicht
ställt.

Wir rasen! Rach' und Angst bestreitet unser Hertze!
Di Thräne dämpft di Brunst / der Eifer weicht dem
Schmertze;   30

Der Ohn-macht schwaches Weh gewinnt den Kräfften ab!
Verscharrt mich / weil ich mich nicht rechen kan / ins
Grab.

A r c h i b i u s.
Ich zitter / ich erstarr! betrigen mich di Ohren?
Träumt mir? bin ich bei Witz? hab ich's Gehör
verlohren?

Glaub' ich's / und frevle nicht / was ihre Majestät   35
Für Greuel uns entdeckt?

C l e o p a t r a.   verzweifelt-falsche Räth'!
Ist ein zwey-schneidend Schwerd zu gleichen euer
Zungen?

Kein Feinds-Schwerd ist uns nie so tief durchs Hertz
gedrungen /

Als dieser Meuchel-Mord uns greifft di Geister an.

A r c h i b i u s.
Wer hat zu dieser That den Vorschlag denn gethan?   40

C l e o p a t r a.
August begehrt mein Reich / sie lifern gar mein Leben.

A r c h i b i u s.
Wer weiß / ob Fürst Anton den Willen drein gegeben?

C l e o p a t r a.
Wer zweifelt / da er ja so heimlich mit uns spilt?

A r c h i b i u s.
Man sorgt für Heimligkeit offt di auf uns nicht zielt.

C l e o p a t r a.
Er hat für ratsam Ding den Mord-Rath angenommen.   45

A r c h i b i u s.
Man pflegt offt / hinter viel durch einen Schein zukommen.

C l e o p a t r a.
Di Schlange stopfft ihr Ohr für dem Beschwerer zu.

Archibius.
    Der Staat erfordert offt daß man ein übrig's thu.
Cleopatra.
    Der Staat verwirfft: daß man den Heuchlern Ohren gibet.
Archibius.
    Wer hat / Princeß / sie denn mit dieser Post betrübet?
Cleopatra.
    Mein eigen Ohr / daß sich in's Neben-Zimmer schlooß /
    Als man auf unsern Brand so frisches Oel aufgooß /
    Wo bin ich? Himmel hilf! verleihe Grimm und Rache;
    Daß ich mein Gift-Kristall mit Blutte Purpern mache
    Deß Eh-Manns / der mich nicht mit einer Ader libt!
    Wer ist! der Dolch und Schwerdt mir zum vollbringen
                                                    gibt?
Archibius. Ein Dolch / Princessin / wird hier nicht den
                                        Zweck erreichen:
    Ein zornicht Antlitz muß di steiffen Segel streichen /
    Den stürmen Winden nicht schnurstracks entgegen gehn.
    Man fleucht di Klippen leicht di ob dem Wasser stehn /
    Wenn / di di Flutt verdeck't / uns stracks in Abgrund
                                                    stürtzet.
    Wein / nicht di Wermuth wird mit Tod' und Gift
                                                    gewürtzet:
    So muß / Princessin / sie den Zornsturm deß Gesichts
    In sanfften West verkehrn. Der Eifer fruchtet nichts /
    Wo keine Waffen sind / als: daß er selbst uns tödtet.
Cleopatra.
    Er tödte; wenn wir nur zuvor den Arm geröthet
    Mit unser Mörder Blutt'.
Archibius.   Es bringt mehr Ruhm und Lust
    Wenn man den Feind erdrückt mit um-zerkerter
                                                    Brust.
    Man mische Gift für di / di uns den Gift-Kelch mischen;
    Wer weiß / ob wir hierdurch nicht selbst den Brand
                                                    abwischen
    Mit dem wir biß hieher deß Keisers Grimm erregt.

Cleopatra. Wol! schaut wie Blitz und Keil selbst durch
                 die Wolcke schlägt
  Di Dampf und Schwefel zog. Liß deß Augustus Schreiben:
  Er schlägt uns Mittel vor di Noth zu hintertreiben
  Di uns in Abgrund wirfft.
Archibius.   Ist diß des Kaysers Hand?   75
Cleopatra.
  Ist dir Augustus Bild und Handschrifft unbekand?
Archibius.
  Was hinter hielt sie / sich dem Keyser zubequämen?
Cleopatra.
  Daß es nicht Fürstlich schien di Mord-That vorzunähmen /
  Und durch deß Ehmanns Tod zu kauffen Thron und
                 Reich.
Archibius.
  Itzt aber / itzt begeht Anton di Unthat gleich /   80
  Di ihr ein Greuel war. Er mag das Gifft selbst sauffen /
  Der ihr den Todt versuch't im Weine zu verkauffen.
  Wer einmal untreu ist / ist keiner Treue wehrt.
  Thut ihre Majestät nicht was August begehrt /
  So thut es doch Anton. Am besten vor sein kommen /   85
  Eh' uns durch furchtsam-sein di Mittel sind benommen;
  Eh Augen / Farb' und Mund den Anschlag offenbart /
  Den ein versigelt Hertz offt nicht genung verwahrt.
  Ich steh' ihr euserst bei / zu handeln was wir schlüssen.
Cyllenie.
  Princessin / Fürst Anton kommt gleich sie zu begrüssen.   90
Archibius.
  Nur Muth! sie gebe wol auf Mund und Antlitz acht.
Cleopatra.
  Wol! weich't ins Vorgemach. Bestürtzte Trauer-Nacht!
  Bring't / eh der Fürst erscheint / di Kinder uns ins
                 Zimmer.
  Sagt: daß wir erst erwacht.

---

85 Es ist am besten, zuvorgekommen zu sein.

Antonius. Cleopatra. Ptolomaeus. Alexander. Cleopatra.
Beyder 3. Kinder. Ein Hauptmann.

A n t o n i u s.　　　　　Wie wenn der düstre Schimmer
Deß braunen Abends itzt di blauen Hügel deckt;　　　9
Di Schnecke / di den Thau von den Gewächsen leckt /
Schier neuen Geist bekommt: so muß / Princeß / sie eben
Durch ihren Anmuths-Thau uns neue Geister geben /
Wenn Sorg- und Sonnen-Hitz' uns fast verschmachten
　　　　　läst.
Beseele mich / mein Hertz / durch den belibten West　　10
Der Zucker-süssen Hold.

C l e o p a t r a.　　　　　Ein Artzt kan auß den Sternen /
Auch auß dem Antlitz nicht di Kranckheit allzeit lernen;
Der krancke muß daß Weh entdecken / das ihn sticht.
Ich sol sein Labsal sein / und er entdeckt mir nicht
Den Uhrsprung herber Noth. Man läst' uns nichts
　　　　　　　　mehrwissen /　　10
Was Caesar von uns wil / was unsre Räthe schlüssen.
Man zeucht Cleopatren itzt nur nicht mehr in Rath /
Man schleust auch di noch auß / di man zu Räthen hat
Auß unserm Volck' erkiest. Was mag Egypten hoffen?
Nun auch der Rath nicht mehr der Königin steht offen.　11
Mich denckt di liebe Zeit: daß nichts bei Kräfften blib /
Was nicht Cleopatra selbst-händig unterschrieb /
Daß meines Fürsten Hertz in meinen Händen schwebte /
Daß ohne mich Anton gleich als entgeistert lebte.
Was aber sind wir itzt? ein Oel auß dem vielleicht　　11
Man itzt für beider Wund' ein tauglich Pflaster streicht /
Auß dem.

A n t o n i u s.　　Prinzeßin halt! hat sie so groß beliben
Uns bei so herber Angst noch herber zu betrüben?
Sie sehe den Anton für keinen Caesar an.
Sie weiß Anton hat nie nichts ohne sie gethan　　　　12
Und wird es noch nicht thun. Daß aber wir zu Zeiten

111 Mich denckt = Ich gedenke an . . .

Die Fälle / die den Geist unmenschlich uns bestreiten /
So viel man kan / verschweigt / sol das ein Laster sein?
So erndtet sie gewiß für Mandeln Disteln ein.
Ein kluger Artzt verhölt dem Krancken oft di Wunden. 125
Sie hat / mein Kind / zeither so gar viel Leid empfunden /
Daß man / was neu ist / ihr auß Noth verzuckern muß /
Und weiß sie nicht / mein Haupt: ein Rathschlag ist kein
                       Schluß.
Dem / was man vor erwog / mag sie den Außschlag geben.
Sie brauche / di der Nil gebohren hat / darneben / 130
Man hat durch diese Wahl di Treue nicht vergällt /
Sie weiß: bei Römern muß man Römisch sein gestellt.
Drumb lasse sie / mein Hertz / den falschen Argwohn
                       schwinden.

Cleopatra.

Man kan für trüben Dunst leicht klare Farben finden.
Jedoch / di bißhiher mit Lib' und Redligkeit 135
Dem Fürsten treu gewest / wird / biß di Pest der Zeit
Sie hinrafft / auch ins Grab den reinen Geist gewehren.
Was aber ist mein Fürst / Augustus sein begehren?

Antonius.

Er heischt den Artabaz und gantz Egypten-Land.

Cleopatra.

Wi? sol Cleopatra nicht auch sein weg gebannt? 140

Antonius.

Der Himmel lasse nicht so grimmen Riß geschehen!

Cleopatra.

Kan Rom di Wölfin / denn di Eintracht gar nicht sehen?
Verdammte Raserey! verfluchte Mörder-Lust!
Raubt ja di Länder hin / nur sätz't auf unsre Brust
Nicht eure Klauen ein! was wil er sich erklären? 145

Antonius.

Zwey Stücke woll'n wir ihm auf's euserste gewehren.

---

128 Schluß = Beschluß.
130 die eingeborenen ägyptischen Ratgeber.
137 gewehren = bringen.

Cleopatra.
    Wer Zwey gewehren wil / gibt auch das dritte zu /
    Ich weiß es was man offt umb Thron und Zepter thu;
    Umb dis hat Julius uns Eh' und Eid gebrochen.
Antonius. Das Rach-Schwerd hat an ihm den Meineyd
                               längst gerochen.   150

Cleopatra.
    Di Ehr- und Cronen-sucht siht nicht so weit hinauß.
    Wir seh'n uns in der Grufft / und unsern Thron in Grauß!
    Wir sind / O Götter! hin! mein Fürst / mein Haupt /
                               mein Leben!
    Getrost! er mag uns ja für sich zum Opffer geben!
    Der Himmel hat uns schon eröfnet unser Ziel /   155
    Denn / als den Mittag uns di Schlaff-sucht überfiel /
    Wieß schon der traum: wie sehr umb unsre Mund-
                               Kristallen
    Di Spinne mühsam war / als sie ihr Gifft liß fallen
    In unsern Malvasier.
Antonius.   Princessin / last den Zaum
    Dem Eifer nicht zu sehr. Sol ein betrüglich traum   160
    Itzt unser Richter sein? sol unser gutt Gewissen /
    Durch schlipffrigen Verdacht itzt Ehr' und Ruhm
                               einbüssen?
    Wohin verleutet sie des Argwohns tober Wind?
    Princessin / wir gestehns / man hat an uns gesinn't
    Für sie / mein Licht / mein Trost / Octavien zukiesen?   165
    Wenn aber hat Anton den Vorschlag ie gepriesen?
    Di Welle setzt umbsonst an steile Felsen an.
    Man hat mit Hertz und Mund den Gifft-Kelch abgethan /
    Den uns di Ehr-sucht preist.
Cleopatra.   Und diese vorgeschlagen /
    Di Gall' und Dolch auf uns in unserm Purper tragen.   170
Antonius.
    Ich merck's / worauf sie zielt. Sie weis wol / daß der Rath

163 tober = tobender.
164 an uns gesinn't = uns angesonnen, zugemutet.

Den di Verzweifelung zur Welt gebohren hat /
Di Wage meist nicht hält. Doch muß der nicht bald bissen /
Der mehr durch Zufall hat als Boßheit irren müssen;
Viel minder der / der ihn verwirfft / verflucht /
verdamm't. 175

Cleopatra.
Ihr Zweige di ihr ja von dieser Wurtzel stamm't /
Ihr Knoßpen unser Eh' und Blüthen unsrer Jahre /
Errettet uns nun mehr von der bestürtzten Baare /
Fallt / zarten Kinder / fallt dem Vater in den Arm;
Küßt seinen Fuß: daß er der Mutter sich erbarm. 180
Holdseeligster Anton! wo diese Wehmuths-Zehren /
Di wir / mein Heil / und Haupt / in Dehmuth dir
gewehren /
Wo unser Hertzeleid dich nicht entsteinern kan;
Wo er / mein Schatz / uns nicht wil ferner schauen an /
Wo diese kalte Brust und die noch warme Seele 185
Nicht ferner Flammen schaff't in seiner Hertzens-Höle /
Wo di vertagte Lust dem Fürsten Eckel gibt /
Wo er / mein Fürst / nicht mehr / di welcken Wangen
libt /
Di blassen Lippen küßt / di blöden Augen ehret /
Wo er den Säufzer-Wind mit schwerem Unmuth höret; 190
So laß' er dieser Bitt' ihm doch zu Hertzen gehn
Der Kinder / di für ihm mit Wehmuth schwanger stehn /
Ja di ihr Unheil itzt noch nicht zu nennen wissen;
Da ihre Mutter so[ll] di krancken Augen schlüssen.
Zwar; umb Cleopatren ist's nicht so sehr zu thun / 195
Di endlich selber wünsch't in Sarch und Grufft zu ruhn.
Ah! aber diese Schaar der Mutter-losen Weisen!
Was mag sie hoffen ja! Gefängnüß / Schmach / und Eisen.
Denn solch ein Sturm-Wind schont der morschen Aeste
nicht /
Der den zerschelten Stamm gar auß der Wurtzel bricht. 200
Zu dem / mein Herr / und Haupt / ach! könt' ihm unser
Sterben

Den goldgestückten Stul / di sanffte Ruh erwerben!
Di Adern kwälln' voll Treu nicht minder als voll Blutt.
Hir schwillt di nackte Brust / wo ist Gifft / Schwerd und
                              Glutt?
Hir schwebt der warme Mund behertzt den Dolch zu
                              küssen /   2
Der uns das Leben zu / den Thron ihm auf sol schlüssen.
Nur / werthes Haupt / befleckt mit falschen Mackeln nicht
Di Palmen unser Treu. Der Schlangen-Neid umbflicht
Di höchste Tugend meist. Gebt / bitt' ich / dem nicht
                              glauben /
Durch den Verleumbdung uns hat unsern Ruhm wolln
                              rauben;   2
Es ist Cleopatra Verräthern gram und Feind /
Sie weis sich rein und from. Dis ists was sie beweint:
Daß man di Lorbern ihr von den Cypressen raubet /
Und daß Anton so viel des Keysers Worten glaubet /
Der zwar di Kronen weist / di Ketten aber gibt /   2:
Und mit der Gütte mehr / als durch den Grimm
                              betrübt.
Mein Schatz / fliht fliht das Kraut / in dem di Nattern
                              hecken /
Laßt di Kristallen-Flutt euch nicht zu süsse schmecken;
Denn Caesar flöst hierdurch ihm seinen Gift-Tranck ein.
Läscht bitt ich / eh' den Durst / wo trübe Pfützen sein /   22
Di keine List vergällt. Der Honigseim der Bienen
Bring't uns den Stachel bei; des Rückens Sternen dienen
Der Heydächs' / umb daß sie den Schlangenbauch
                              versteckt;
Und der Sirene Schwantz wird durch di Brust verdeckt.
Junge Cleopatra.
Herr / Vater / Fürst / und Schutz / wir opfern Thrän und
                              Zehren;   2
Wir können uns sonst nicht mit andern Waffen wehren;
Wir fallen ihm zu Fuß' / und küssen Knie und Hand;
Er setz' uns nur so bald nicht in den Weisen-Stand.

Alexander.
Er lasse diesen Arm nicht Römisch Eisen tragen.
Ptolomaeus.
Und di Frau-Mutter nicht in's Elend wegverjagen. 230
Alexander.
Man zihe mir nur auch Helm Tartsch und Harnisch an.
Zu schaun; ob nicht ein Kind auch hertzhafft fechten kan.
Ptolomaeus. Ich wünsche Stahl und Dolch auf's Keysers
Brust zu zücken.
Antonius.
Di Zeit / O Kinder / woll' euch so viel Kräfften schicken /
So viel der Himmel euch mit Tugend hat erfüllt. 235
Schaut an Cleopatren des Mohnden Ebenbild /
Am Alexander strahlt das Conterfect der Sonnen /
Und Ptolomaeus hat dem Nord-Stern' abgewonnen.
Ihr Schutz-Herrn dieses Reichs / ihr Götter laßt geschehn:
Daß diese Sternen ich nicht darf verfinstert sehn. 240
Princessin / werthes Haupt / verzeihet den Gedancken
Di Feind / und Ehren-sucht auß den gedrangen Schrancken
Der heissen Liebe trieb; Princessin / wir gestehn:
Der Häuchler Irrlicht hieß uns auf den Irrweg gehn;
Jedoch hat sie / mein Licht / sie Isis unsrer Zeiten / 245
Durch ihren Witz vermocht uns auf den Weg zu leiten /
Der zu den Sternen führt / und nimmer fehlen kan.
Wir bethen wie vorhin di Gottheit an ihr an /
Di Reich und Thron und uns mit tausend Lust bestrahlet.
Wir schweren bei dem Glantz / der See und Erde mahlet / 250
Bei'm grossen Jupiter / der Zepter nimm't und gibt;
Cleopatra sol sein von uns geehrt / gelibt;
Cleopatra sol uns und unsrer Macht gebitten;
So lang uns Clotho nicht den Faden hat verschnitten.
Wir schlagen kurtz und rund des Keisers Vorschlag aus / 255
Und wünschen ausser ihr uns selbst in Asch' und Graus
Das Reich im Staub zusehn.
Cleopatra. Des milden Himmels Gütte
Verleihe Glück' und Sieg dem edelsten Gemütte.

Dem das Verhängnüß selbst sich unterwerffen muß!
Wie aber / Fürst und Herr / besigelt er den Schluß?   26(

A n t o n i u s.
Schnur-stracks sol Proculej so schlechten Abschied kriegen.

C l e o p a t r a.
Anton kan noch durch was uns Trost / ihm Heil zufügen.

A n t o n i u s. Entdeckt / mein Schatz / wordurch?

C l e o p a t r a.   Wenn Artabazes Haupt
Di Untreu uns bezahlt.

A n t o n i u s.   Gar wol! ihr sey erlaubt
Den abgehaunen Kopf in ihrer Schooß zuschauen.   265
Stracks / Hauptmann / laß den Kopff dem Artabaz
                              abhauen.
Dis Schauspiel mag zugleich dem Feinde deuten an:
Daß auch Anton noch itzt den Keiser pochen kan.

C l e o p a t r a. Mein Fürst; es wird dis Haupt der Meder
                              Haupt bewegen;
Für unser Reich und Heil den Harnisch anzulegen;   270
Der bis auf diesen Tag es hinterzogen hat /
Weil er bißher umbsonst umb dessen Schedel bath:
Der ihn und uns betrog.

A n t o n i u s.   Last den Verräther leiden!
Wir gehen: umb alsbald di Bothschafft zubescheiden.

Cleopatra allein.

O Strudel-reiches Meer der jammer-vollen Welt!   275
Di Segel stehn gespann't / di Netze sind gestellt
Uns in den sichern Port / ihn in das Garn zuführen.
Di Lorbern mögen stets di klugen Frauen zieren /
Für welchen Männer-Witz meist muß zuscheitern gehn!
Schaut: auf was Grunde nun di Libes-Ancker stehn /   280
Di durch Verleumbdungs-Wind schon auf den Trüb-Sand
                              kamen.
Wo sind di Nebel hin / di uns das Licht benahmen?

Di Sonne der Vernunfft vertreibt den eiteln Dunst.
Anton gibt Thron und Kron für einer Frauen Gunst.
Jedoch wo segeln wir? sol Glück' und Zeit verrauchen?   285
Ein kluger Booßmann muß deß Wetters sich gebrauchen.
Anton ist zwar nunmehr durch unser Hold besig't /
Und durch der Schönheit-Reitz als schlaffend eingewigt.
Kan aber nicht ein West auch bald ein Sturmwind werden?
Ein flatternd Hertze gleicht mit Wanckel-muth den
                        Pferden /   290
Di ein geschwancker Zaum bald recht- bald linckwerts
                        lenckt.
Der für zwei Stunden ihm di Ehr-sucht eingesenckt /
Kan / eh' Aurora wird di braunen Wellen küssen /
Ihm größre Fantasy in sein Gehirne gissen.
Di Natter / di man gleich mit süsser Milch zeicht groß /   295
Behält man dennoch nicht recht sicher in der Schooß.
Man muß den giftgen Fleck von den Verleumbdungs-
                        Pfeilen /
Di Wunden des Verdacht's mit solchen Salben heilen:
Daß keine Narbe man / kein Merckmal man nicht schaut.
Denn / dem ist nicht zu trau'n / der gleichfals uns nicht
                        traut.   300
Gunst / Libe / Freundschafft gleicht sich zarten
                        Berg-Kristallen /
Di keine Kunst ergäntzt / sind einmal sie zerfallen:
Stillt auch Versöhnung gleich zu weilen Wund und Blutt /
Sie bricht erhitzter auf und schärffet Gall' und Glutt /
Di in dem Hertzen kocht. Man trockne Sumpf und
                        Lachen /   305
Ein linder Regen wird sie wider wäßricht machen.
Zu dem / was ist uns nicht umb Kron und Zepter feil?
Du must / Cleopatra / begehrstu Hülff und Heil
An 's Keisers Gnaden-Port dein strandend Schiff anlenden:
Und haben wir nicht schon des Keisers Hand in Händen?   310

291 geschwancker = schwankender, schlotternder.

Dis Sigel / diese Schrifft muß unser Leit-Stern sein.
Anton / durch deinen Todt fahrn wir in Hafen ein.
Wie aber werden wir das Steuer-Ruder lencken?
Geheimes Gifft und Dolch in seine Brust zu sencken /
Führt bösen Klang nach sich / und siht gefährlich aus.   315
Uns fällt was bessers ein zuretten unser Haus /
Und Ptolomaeus Stul. Anton ist itzt im Liben
Bis auf den höchsten Punct der blinden Brunst getriben /
Di ihn nach unserm Wunsch gar unschwer stürtzen kan
Auf den Verzweiflungs-Fels: wir woll'n uns stellen an: 320
Als hetten wir uns selbst das Lebens-Garn zerschnitten:
Wird ihn nun Lib und Leid auf einen Sturm umschütten;
So renn't sein schwacher Mast des Lebens Seegel-looß
Auch auf das todten-Meer. Denn ist di Kunst nicht groß /
Der / di den Julius für ihr sah' kniend ligen /   325
Durch süssen Libes-Reitz den Keiser zubesigen.
Nur Muth! Cleopatra! behertzt und weise sein /
Lägt zu dem Ehren-Thron' in Grund den ersten Stein.

Der Schauplatz verändert sich in den
Verhör-Saal.
Proculejus. Archibius.

Proculejus.
   So schlägt Anton in Wind des Keisers Gunst und Gütte?
Archibius.
   Anton wünscht dem August ein friedlicher Gemütte.   330
Proculejus.
   Beuth ihm der Keyser nicht Vertrag und Frieden an?
Archibius.
   Ja Friden! den kein Mensch nicht lobt / noch eingehn kan.
Proculejus.
   Sind so viel Länder denn nicht würdig anzunehmen?

---

315 Führt bösen Klang nach sich = bringt üblen Ruf.

Archibius.
  Nein! wo viel Länder uns Gefahr und Unglück sämen?
Proculejus.
  Was quill't auß unsrer Gunst für Unglück und Gefahr? 335
Archibius.
  Der rechten Götter Zorn / der Libsten Todten-Baar'.
Proculejus.
  Ein Weib stirbt für ein Reich nicht ohne Ruhm und Ehre.
Archibius.
  Wer Fürsten tödten heist / der führt verdammte Lehre.
Proculejus.
  Das oberste Gesätz' ist / eines Reiches Heil.
Archibius.
  Gewissen und Gemahl ist euch umb Kronen feil. 340
Proculejus.
  Anton zertrenn't nur selbst Gemahlin und Gewissen.
Archibius.
  Der Ehstand wird mit fug nach eurem Recht zerrissen.
Proculejus. Beugt euren steiffen Sinn / bequämmt dem
                    Glück' euch doch.
Archibius.
  Di Seene springt / wenn man den Bogen spann't zu hoch.
Proculejus. Spannt dieser hoch / der euch Thron / Kron
                    und Zepter giebet? 345
Archibius.
  Dis aber nim't / was man für Thron und Zepter liebet.
Proculejus.
  Gebt Kronen für ein Weib / vertauschet Gold für Stahl.
Archibius.
  Wer Treue kiest für Lust / thut keine böse Wahl.
Proculejus.
  Der aber / der für Brunst läst Thron und Weißheit fallen.
Archibius.
  Gefällt di Kugel doch der Sonnen auch nicht allen. 350
Proculejus.
  Glaubt: daß Cleopatra nicht ohne Flecken sey.

Archibius.
  Man mißt dem Mohnden auch der Erde Schatten bey.
Proculejus. Ich seh in Helenen ein neues Troja brennen.
Archibius.
  Es brenne! weiß man nur des Hectors Ruhm zunennen.
Proculejus.
  Es brenn’t / wenn Paris Eid / und Eh’ und Rechte bricht.   35
Archibius.
  Das Rachschwerdt aber schont den Agamemnon nicht.
Proculejus.
  Di Götter werden stets des Keysers Sanfftmuth schonen.
Archibius.
  Gewalt sitzt niemals fest auf bluttbespritzten Thronen.
Proculejus.
  Welch Purpur ist mit Blutt der Feinde nicht bespritzt?
Archibius.
  Wol! aber / daß ihr Pfeil auf Freund’ und Bürger spitzt?   36
Proculejus.
  Man schneidet Glider ab / eh man den Leib läst sterben.
  Ihr eilet sporn-strichs hin in Abgrund des Verterben.
  Der Schönheit gläntzernd Rauch umbwölck’t euch das
                                          Gesicht:
  Daß ihr der Krone Gold / das Demant-helle Licht /
  Der Weißheit nicht erblickt. Doch ist der nicht zu klagen / 36
  Der selbst ihm Sand zur Grufft und Holtz zur Glutt hilfft
                                          tragen.
Archibius. Ihr laß’t euch unser Heil sehr angelegen sein:
  Doch aber glaub’t: ihr wigt mit Worten uns nicht ein.
  Wißt: daß Anton kein Haar von seiner Meinung weiche.
  Er gibt Cleopatren nicht für viel Königreiche /   37
  Nebst der Egypten er nicht fahren lassen kan.
  Seh’t auch / ihr Römer / uns nicht für so alber an:
  Daß wir dem / was ihr uns so scheinbar vormahlt /
                                          trauen.
  Den man zerreissen wil / dem weist man nicht die Klauen.
  Es hat August uns auch di Kunst gespilt zuvor: 37

Wen man zu stürtzen denckt / den hebt man mehr empor /
Wem man was nehmen wil / muß man mit Gaben
bländen.
Am besten man behält dis / was man hat / in Händen.
Und daß man es / weil man noch athmet / steif bewahr.
Eh' man was kostbars tausch' umb doppelte Gefahr.   380
Proculejus. Wer voller Thorheit steckt / dem kommt
kein Rath zu statten.
Wer schon verzweifeln wil den schröckt auch Laub und
Schatten:
Der steckt voll Aberwitz / der all zu klug wil sein.
Ihr sencket Glück und Mast in ofne Strudel ein /
Weil euch von falscher Furcht der blinden Klippen
träumet.   385
Dis Gifft / das ihr auf uns von eurem Munde schäumet /
Spritz't vor / weil euer Hertz voll schwartzer Galle
steckt.
Denn der Verdacht besorgt di Laster / di er deckt.
Nein! des Augustus Ruhm muß so geschimpfft nicht
werden.
Der minste Dunst verstellt di Sonnen dieser Erden.   390
Ich weiß deß Keisers Mund sagt / was sein Hertze wil.
Archibius.
Der oft zu viel verspricht / hält meisten-theils nicht viel.
Proculejus.
Fahrt hin! nun ihr so gar in Blindheit seit ersoffen.
Archibius.
Ein scharffer Feind läst was / ein glatter gar nichts hoffen.
Proculejus.
Wer Löwen-Klauen hat / bedarf des Fuchs-Balg's nicht.   395
Mein't ihr: daß eure Stadt der Römer Heer anficht?
Nein sicher! nein! für dem sich beugt der Kreiß der
Erden /
Läst Alexandrien ihm nicht zum Meister werden.
Archibius.
Sagt was ihr woll't / und pocht: darauf der pochen kan /

Den ein verzweiflend Feind greifft im gedrangen an /   40
Ihr windet uns hierdurch den Stahl nicht auß den
                              Händen;
Wer klug ist / läst sich nicht der Feinde Rath verbländen;
Der auf den Orth / wo er hinzühlt / den Rücken kehrt /
Nicht anders / als ein Schiff an's Ufer rücks-werts fährt.
Zwar durch gerade Fahrt wird wol der Weg verkürtzet;   40
Der aber / der den Mast nicht gern' in Schiff-bruch
                              stürtzet /
Verfährt behuttsamer / streicht Kreitz-weis hin und her /
Länck't offt wol hinter sich / versucht durch's Bley das
                              Meer /
Dafern er Felsen merckt. So könnt auch ihr euch schicken.
Wir aber müssen euch was den Compaß verrücken.   41●

Proculejus.
Den? der euch leutet hin wo Sonn' und Glück erwacht?
Archibius.
Nein! der Magnet zeucht uns in's Unglücks Mitternacht.
Proculejus.
Ihr werdet euren Schluß zu spät zu spät bereuen.
Woll't aber ihr gleichwol auch diesen nicht befreyen /
Den doch Anton vorhin zu liefern uns versprach?   41●
Archibius.
Mein't ihr den Artabaz? Er ist schon im Gemach.
Ziht di Tapeten weg. Hier wird er euch gewehret.
Proculejus.
Hilf Himmel? was ist dis? wie? daß kein Blitz herfähret /
Der di verdammte Stadt zermalmt in Asche legt!
Daß Glutt und Schwefel nicht das Land von Lastern
                              fegt!   420
Welch rasen komm't euch an? seid ihr von Sinnen
                              kommen?
Wie? hat Tisiphone in euch den Sitz genommen?
Zerbirst der Abgrund nicht / und schluckt euch Mörder
                              ein /

410 eure Pläne etwas durchkreuzen.

Die von Kind-auf gesäug't von Drachen-Eyter sein.
Wie? träumt mir? seh' ich recht? ist's Artabazens
                              Leiche?   425
Ha! du beschimpffter Strumpf! bestürtzter Mond'
                              entweiche /
Daß dieser Greuel nicht dein reines Silber fleckt!
Wo habt / ihr Mörder / hin / des Königs Kopf gesteckt?

Archibius.

Ihr Römer / di ihr nie kein Fürsten-Blutt verspritzet /
Di ihr kein Wasser trübt / seit ihr so sehr erhitzet: 430
Daß ihr verräthrisch Blutt am Pflaster kleben seh't?
Verlang't ihr / daß sein Kopff werd' an den Strumpf
                              geneh't.
Müß't ihr das ander Theil auß Meden wider holen.

Proculejus.

Hilf Himmel! hat Anton di Unthat anbefohlen?
Wol! hönet / wüttet / würtzt di Straffen euch nur wol!   435
Wißt: daß des Keisers Schwerd dis redlich rechen sol.

Der Schauplatz bildet ab das lustige Gebirge des Berges Ida
in Phrygien.
Der Reyen ist das Gerichte des Paris.
Mercurius. Paris. Juno. Pallas. Venus.

Mercurius.

    Edelster Schäffer / und Außbund der Hirten /
    Welchen di Themis mit Nectar gesäugt /
Schaue von Palmen von Oel-Zweig- und Mirten
    Wird dir ein Krantz umb di Schläffe gebeugt.   440
    Jupiters Töchter und Ehgemahl müssen
    Deinen gekröneten Hirten-Stab küssen.
Eh sich dein Purper den Hürden vermählet /
    Hat des Verhängnüsses stählerner Schluß /
Dich zu dem Richter der Götter erwählet /   445
    Schaue dis Kleinod der Schönheit! dis muß

Dein unparteiisches Urtheil verleihen
Der / di di schönste leb't unter den Dreyen.
Paris.
    Himmel! wo bin ich? ich werde zum Steine!
    Säh' ich auf Ida drei Sonnen aufgehn?   45
Da doch den Himmel umbzirckelt nur eine.
    Säh' ich ein Klee-Blatt der Götter hier stehn?
Werd' ich von ihnen erkiset zum Richter
Über di Himmlischen Sternen-Gesichter?
Was sich di Götter zu schlichten nicht trauen /   45
    Sol ich einfältiger Schäfer verstehn?
Kan doch mein Aug' in di Sonne nicht schauen;
    Weniger wird sich's zu Göttern erhöhn.
Könt' ich nur aber zwey Aepfel noch haben
Wolt' ich iedwede mit einem begaben.   46
Juno. Pallas. Venus.
    Schäffer / im Kriegen sig't einer alleine.
    Tulipen gleichen der Rosen sich nicht /
Demant ist König der Edelgesteine;
    Sonnen verbländen der Sternen ihr Licht.
Diesem nach mustu nur Jupiters willen   46
Durch den erwünscheten Endspruch erfüllen.
Paris.
    Wol! denn des Jupiters ernstes begehren
    Schlagen di Sterblichen sträflich in Wind;
Kan er doch albere Sinnen verklären:
    Daß sie zum göttlichen fähiger sind.   47
Nähert euch also mir / schönste Göttinnen /
Wollet ihr Sigs-Krantz und Apfel gewinnen.
Juno.
    Himmel und Erde muß Weyrauch anzünden
    Mir / der nicht Zierde / nicht Herrligkeit fehlt.
Wehre was schöners an andern zu finden /   47
    Hette mich Jupiter ihm nicht vermählt.
Wilstu nun Jupitern Irrthum's nicht zeihen /
Mustu mir schönsten den Vorzug verleihen.

Pallas.

      Hoffart und Wollust sind Seuchen der Jugend.
      Diese sind euer geschminckter Schein.   480
Ich aber bin di vergötternde Tugend /
      Welche di Thaten den Sternen gräb't ein.
      Wilstu nun ewigen Nach-ruhm erlangen /
      Muß ich als Schönste den Apfel empfangen.

Venus.

      Kronen sind dörnricht / di Waffen gefährlich.   485
      Aber mein Paradis schwimmet voll Lust.
Meine verlibete Krige sind herrlich /
      Tödten di Sorgen / beseelen di Brust.
      Jene mag Zepter und Harnisch erheben;
      Dieses Gold werde mir Schönsten gegeben.   490

Paris.

      Rosen des Himmels / Gestirne der Erden /
      Momus find't an euch nicht einigen Fleck.
Doch / di nach Würden entschieden wil werden /
      Lege di euserste Zirath hinweg.
      Wenn man vom Glase Kristallen wil scheiden /   495
      Sondert man Farben und Schmincke von beiden.

Juno. Pallas.

      Wagstu dich unser entblössete Glider
      Mit den verweßlichen Augen zusehn?

Venus.

      Schaue! di Göttin der Schönheit wirff't nider
      Dieses / wordurch sich di andern aufblähn.   500

Juno. Pallas.

      Fürchte nicht an uns vermummete Flecken /
      Sihe / wir wollen uns gleichfals entdecken.

Pallas.

      Schädliche Mutter verbländender Tücke /
      Lege den zaubernden Gürttel von dir.

Venus.

      Wol! wol! blau-augichte Pallas / nicht rücke   505
      Deinem Helm deinem Gesichte so für.

Paris.
> Götter / verleihet mir Argos Gesichte /
> Daß ich mein Richter-Ambt würdig verrichte.

Juno.
> Paris / Antigonens Ungemach lehret
> Und deß Ixion unruhiges Rad;   510
> Wie den mein grimmiges Blitzen versehret
> Welcher mich einmal beleidiget hat.
> Wirstu mich aber nach Würden bedencken /
> Wil ich gantz Asiens Zepter dir schencken.

Pallas.
> Di am Apollo verachtete Künste   515
> Müssen di Ohren des Midas bezahl'n;
> Und der Arachne verächtlich Gespünste /
> Kan dir di zornige Pallas abmahl'n.
> Nennstu mich aber di Schönste der Schönen;
> Sollen unendliche Lorbern dich krönen.   520

Venus.
> Lasse nicht dreuen und Gaben dich beugen.
> Opffert doch selber Diespiter mir.
> Ist nicht auch Priamus Zepter dein eigen?
> Unsere Mirten gehn Lorbern weit für.
> Helenens dir zu gewiedmete Strahlen   525
> Werden dir Kronen und Palmen bezahlen.

Paris.
> Schönste der ewig-helleuchtenden Sonnen
> Strecke den Marmel der Armen herfür.
> Venus hat unter den dreien gewonnen.
> Nimm den vergüldeten Apfel von mir.   530
> Deine bepurperte Rosen vertilgen /
> Anderer Schönen versilberte Lilgen.

Venus.
> Kräntzet nun / kräntzet besigte Göttinnen /
> Kräntzet mit Lorbern der Ziprien Haar!
> Bauet bis zu den Saffirenen Zinnen /   535
> Mir ein von Balsam wolrichend Altar!

Brechet nun Zepter und Lantzen in stücke!
Wünschet der siegenden Venus Gelücke!

Juno. Pallas.

Thörichter Richter! Verächter der Götter!
Kisestu bländenden Schatten für Licht? 540
Gibstu di Früchte für ledige Blätter?
Glaube dein Wahn vergeringert uns nicht!
Hoheit und Tugend wird Sternen-werts steigen /
Wann sich di Wollust zur Erde wird neigen.

Juno.

Rasender! tausend wollüstige Frauen 545
Schätzet ein kluger des Zepters nicht wehrt.

Pallas.

Wer der verzaubernden Circe wil trauen /
Wird in ein sündiges Unthier verkehrt.

Juno. Pallas.

Du und dein loderndes Troja wird müssen
Deine verdammte Begirde bald bissen. 550

Venus.

Nein! nein! di Liebe di Jupitern zwinget /
Di da kan Wermuth in Honig verkehrn /
Wird den / der Lorbern und Palmen ihr bringet /
Nicht mit so bitterem Schlangen-Gifft nehrn.
Einer lib-reitzenden Frauen ergätzen / 555
Kan auch di Schmertzen in schertzen versätzen.

Di dritte Abhandlung.

Der Schauplatz stellet vor eine Königliche Todten-Grufft.
Cleopatra. Charmium.

Cleopatra.

Vertraute Charmium / dis ist di Lebens-Höle;
Dis ist der wahre Port der Angst-bedrängten Seele!
Erschrick für Topf' und Asch' und Todten-Beinen nicht /
Und / daß di Schlange sich durch kahle Schedel flicht;
Nicht fürchte: daß allhier di Würmer Nahrung zihen.   5
Auß diser Grufft solln mir di Wolfahrts-Eeren blühen;
In diser Nacht sol mir der Morgenstern aufgehn;
Daß / wo wir itzt mit Ach und Weh umbdüstert stehn /
Uns sol der lichte Strahl gewünschter Lust erquicken.
Vertraute Charmium / nur muttig! wir erblicken /   10
Di Morgen-röthe schon / di Uns den Tag sag't an!

Charmium.

Bestürtzte Königin! ist dis di Lebens-Bahn?
Der Hafen der Gefahr / der Ancker unsers hoffen?
Stehn bei den Todten uns di Gnadens-Pforten offen?
Ist dis das Paradis / der Garten reiner Lust?   15
Wil sie den zarten Leib / di Alabaster-Brust
Der Adern Purper-Oel den Schatten-Geistern weihen?
Sol uns der schwartze Sarch von Furcht und Angst
                                             befreyen?
Sö ist ihr neuer Weg / den sie so hoch gerühmt /
Mit keinen Rosen nicht / nein! mit Napell beblüm't.   20

Cleopatra.

Nein / libes Haupt / nein nein! di Wolcke gibt zuweile
Dem einen nutzbar Licht / dem andern Donner-Keile.
Für euserste Gefahr muß euserst' Artzney sein.
Du sih'st / das Wasser dringt zu allen Seiten ein /
Der zehnde Sturm fehl't nur noch uns in Grund zu
                                             sencken.   25

20 Napell = Aconitum Napellus, Eisenhut; bekannte Giftpflanze.

Itzt itzt ists hohe Zeit das Ruder recht zu lencken!
August lig't uns am Bortt: Er suchet seinen Thron
Zu gründen auf den Grauß des mächtigen Anton.
Wird dieser Sturm-Wind nun di feste Zeder fällen /
Muß nöthig dieser Fall mich schwachen Ast erschellen.   30
Drumb ist mein letzter Rath: daß man sich des entbricht /
Dem das Verhängnüß schon sein letztes Urtheil spricht.
Zwar wünschen wir ihn wol uns noch vermählt
                zuschauen /
Durch unser Gutt und Blutt ihm seinen Thron zu bauen;
Allein' umbsonste wird der Bezoar verbraucht /   35
Wenn das entflammte Gifft schon in dem Hertzen raucht.
Man spar' an Todten nur di teuren Perlen-Träncke.
Hier ist des Keysers Brief / der gibt uns zum Geschäncke
Das Leben / da man ihm den Fürsten todt gewehrt.
Dis / Charmium / dis ists / was unsern Geist beschwert.   40
Charmium.
Princessin / hohe Seel' / und Spigel kluger Sinnen /
Wer / wenn das Schiff zerbricht / den Wellen kan
                entrinnen /
Thut thöricht / wenn er sich mit andern stürtzt in's Meer.
Wo aber sucht sie Hilff' aus dieser Grufft hier her?
Cleopatra.
Einfält'ge! wagestu dich den Anton zu tödten /   45
Den blancken Reben-Safft mit Giffte zuberöthen?
Wollstu dich Stahl und Dolch zu brauchen untersteh'n?
Nein / Charmium / nein nein! man muß behuttsam gehn.
Dis ist ein klüger Rath: du weist / verlibter Leben
Pflegt mehr in frembder Seel' / als in sich selbst zu
                schweben /   50
Auch weistu: daß / da nur di Lib' ist ungeschminckt /
Di Brust des Piramus in Thysbens Spitze sinckt:
So auch / da wir uns hier ein falsches Grabmal bauen /

---

31 entbricht = sich desjenigen entledigt, sich von ihm lossagt.
35 Bezoar = Stein aus dem Eingeweide der Bezoar-Ziege, früher als
Gegengift sehr gesucht.

Traun wir uns den Anton selbst-händig todt zu schauen:
Wir trau'n uns kühnlich zu durch unser Lilgen-Brust /
Durch den benelckten Mund zu zwingen den August.

C h a r m i u m.
    Ihr Götter! könt ihr wol so heissen Brand entzünden /
    Den ein verschmitztes Weib nicht wisse zuverbinden?

C l e o p a t r a.
    Wol an! du kanst hierbey uns gleichfals hülfbar sein;
    Geh / Libste / laß' ein Theil deß Frauen-Zimmers ein.
    Diß Schau-Spiel muß in sich was mehr Personen schlüssen.
    Sonst wirstu dich schon auch nach noth zustellen wissen.
    Nebst diesem laß' ich dir alleine dis zu thun:
    Daß / wenn mein schlaffend Leib wird als entseelet
                    ruh'n /
    Anton den falschen Todt als wahrhafft stracks erfahre;
    Geh hin! dein und mein Heil wächst auß der Todten-
                    Baare.

*Cleopatra. Charmium. Iras. Cyllenie und andere der
            Cleopatra Frauen-Zimmer.*

C l e o p a t r a.
    Auf auf! Cleopatra / ermunter Witz und Sinn!
    Auf! segel' in di See mit schwartzen Flacken hin!
    Willkommen edle Schaar / ihr Schwestern unsers Glückes /
    Kommt / würdig't noch einmal mich eures letzten blickes;
    Kommt drückt mir sterbenden di Starren Augen zu!
    Wein't ihr? mißgönnt mir nicht di süsse Todten-Ruh.

I r a s.
    Wil ihre Majestät uns so verweiset lassen?
    Sol diser zarte Leib in frischer Blüth' erblassen?
    Sol diser Adern Kwäll / der Glider Helffen-Bein /
    Der Lippen ihr Rubin der Schlangen Speise sein?
    Sol ihrer Brüste Milch di faulen Würmer säugen?

59 hülfbar = behilflich.

Solln dise Sonnen Molch' und grüne Nattern zeugen?
Der Himmel lasse nicht so herben Schmertz uns schaun!
C l e o p a t r a. Ja / Schwestern / ja! kommt / helft mir Sarch
und Baare baun. 80
C y l l e n i e.
Wil si / Princessin / selbst sich auf ihr Grabmal heben?
C l e o p a t r a. Pfläg't nicht der Seiden-Wurm ihm selbst
sein Grab zu weben?
Der kluge Schwan singt selbst behertzt sein Sterbe-Lied.
Ihr rühmet: daß an mir Gestalt und Alter blüht;
Di Schönheit ist ein Rauch / di Jugend ist ein Schatten. 85
Eh' als di Knospen uns sind kommen recht zu statten /
Frist schon der Zeiten-Wurm di welcke Blume weg.
Wieviel gibts Wespen nicht / di theil's uns Schand und
Fleck
Auf unsre Lilgen schmirn / theils unsre Süssigkeiten
Durch ihr vergältes Maul zu Giffte zu bereiten: 90
Den ausgesaugten Safft in garstig Eyter kehrn;
Mit unsrer Libes-Milch nur ihre Wollust nehrn.
Du weist es / Charmium / worauf mein Eifer zihlet.
Hat Julius nicht nur mit uns di Brunst gekühlet?
Der Keuschheit Purper blüth' entfärbt mit schnöder Lust? 95
Dis / libste Schwestern / nag't noch itzo Marck und Brust.
Geht euer absehn denn auf meinen Stand und Würde?
Mein itzig Beispiel lehrt: der Stand sei Last und Bürde;
Daß keine Distel so wi Seid' und Purper stech';
Und daß ein Zepter eh' als schwirrend Glaß zerbrech. 100
Als ich den ersten blick des Tages kaum empfangen /
Hat mich das Elend schon an seine Brust gehangen;
Mir minder Mutter-Milch als Wermuth eingeflöß't.
Eh' als durchs lallen mir di Zunge ward gelöß't /
Must ich der Eltern Todt des Brudern Haß empfinden 105
Und / was sich Drachen nicht auf Drachen unterwinden /
Mein Kristallinen Glas mit Giffte schaun befleckt /

106 auf Drachen = gegen Drachen, gegeneinander.

Seh'n auf der Schwester Hals das grimme Schwerd
entdeck't.
Ist auch gleich im Anton mir einig Licht erschinen:
Di Hochzeit Fackel muß oft auch zu Grabe dinen.   1
Der Krocodil beweint den den er fressen wil /
Und di Sirene regt beim Strudel Seiten-spiel:
So lib-kost' auch das Glück' uns / wenn's uns wil
vergraben.
Behertzigt / was wir nicht zeither erlitten haben /
Seit uns bey Actium Gelück' und Sieg verließ /   1
Und unser Königreich in frembde Banden stieß.
Mein Athem-loser Geist mein abgemergelt Hertze
Fäll't nun ohnmächtig hin / und ist so herbem Schmertze /
Nicht mächtig zu bestehn. Dis Leben ist nicht wehrt:
Daß es di Seele stets mit Thränen-Saltze nähr't.   1
Dis fehlt mir ja nur noch / von seinem Zucker-Thaue:
Daß ich di Kinder nicht der Römer-Sklaven schaue;
Nein! dis zu schaun bin ich zu edel vom Geblütt'
An Tugend viel zu groß / zu Hertzhafft im Gemütt'.
Entschleuß dich / hoher Geist / wi du dir vorgenommen /   1
Durch den behertzten Tod den Fässeln vorzukommen;
Vollbring' es hoher Geist! Ein rühmlich Todt ist mehr /
Als tausend Jahre wehrt. Gebt / Libste / nicht so sehr
Di Kleinmuth an den Tag. Laßt Thrän' und Seufzer
schwinden.

I r a s. Ach! Königin / wer kan den Trieb der Libe binden?   1
C l e o p a t r a.
   Wo Furcht und Wehmuth herrscht / da ist di Libe blind.
C y l l e n i e.
   So schlägt sie Reich und Mann und Kinder in den Wind?
C l e o p a t r a.
   Reich / Mann und Kinder sein der Götter Schutz ergeben.
C y l l e n i e.
   Sie werden ohne sie verweis't und hülf-loß leben /

108 entdeck't = entblößt, gezückt.
119 zu bestehn = zu widerstehen.

Cleopatra.
  Der ligt schon in der Grufft / der sich auf Menschen stützt. 135
Cyllenie.
  Der umbgefallne Baum lehrt was sein Schatten nützt.
Cleopatra.
  Setzt mir nicht ferner zu mit den unfruchtbarn Thränen!
  Helfft mir vielmehr den Weg in disen Garten Bähnen /
  Da ich mein Leben kan der Nachwelt pfropfen ein.
  Knüpf't in mein krauses Haar di Diamanten ein /   140
  Bekräntzt mein Himmlisch Haupt mit Rosen und
                                    Narzissen /
  Last meinen nackten Hals di Muschel-Töchter küssen /
  Den Armen legt Schmaragd den Achseln Purper an /
  Beblümt den hohen Sarch mit Klee und Tulipan /
  Hüll't auf das Leichentuch von Karmesinen Sammet;   145
  Macht: daß der Ampeln Gold mit Jer'chons Balsam
                                    flammet.
  Streut Weyrauch auf die Glutt / und Feilgen umb di
                                    Baar' /
  Eylt / flechtet Roßmarin und Eppich umb's Altar /
  Beräuchert / füllt den Sarch mit Aloen und Mirrhen:
  Bringt Bisam in Rubin / Zibeth in Gold-Geschirren /   150
  Versöhnt durch Opffer-Blutt di blassen Geister mir.
  Wolan! ist alles recht? ist / was ich wünsch' / allhier?
  So komm' O süsser Todt / O libstes Wolgefallen!
  Kommt und erquicket mich vergiftete Kristallen!
  Ich küsse Gifft und Glas!
Charmium.   Hilf Himmel! haltet an!   155
Cleopatra. Laß mich!
Iras.   Princessin halt!
Cleopatra.   Zähm't / euren thörchten Wahn!
Cyllenie. Princessin / denckt zu rück'.
Cleopatra.   Umbsonst! ihr wehrt vergebens.
Charmium. Ach Gott! was sehen wir?
Cleopatra.   O Nectar unsers Lebens!
  O Labsal unsrer Seel'! O zucker-süsses Gifft!

Wol disem! der durch dich so trüber Noth entschifft!   16

Der in dein Todten-Bild sein einigs Heil vermummet!

Wol disem!

C h a r m i u m. Si erblast.

I r a s.   Prinzessin!

C h a r m i u m.   Sie verstummet.

C y l l e n i e. Si röchelt!

C h a r m i u m.   Si erstirbt.

I r a s.   Prinzeß' besinnt euch doch!

C y l l e n i e. Reiss't ihr di Kleider auf!

I r a s.   fühlt / schlägt der Pulß ihr noch:

C y l l e n i e. Princessin!

C h a r m i u m.   Si ist hin! di Augen sind gebrochen!   16

I r a s. Man fühlt di Seele noch im engen Hertzen kochen.

C y l l e n i e.

    Di Brust ist noch nicht kalt / bringt Essig / Narden Wein!

C h a r m i u m. Weckt / thörchte / Todten auf!

I r a s.   O Jammer-reiche Pein!

    Ist Geist und Athem hin?

C h a r m i u m.   Si ist / si ist verblichen.

C y l l e n i e.

    Di Himmel-hohe Seel' ist aus der Welt entwichen!   17

I r a s.

    Ich bebe voller Furcht / der Angst-Schweiß bricht mir aus!

C y l l e n i e.

    Bestürtztes Vaterland! in Grund gestürtztes Haus!

I r a s.

    Ach Gott! wer wird den Fall dem Fürsten offenbaren?

C h a r m i u m.

    Der Fürste muß den Todt aufs minste doch erfahren.

I r a s. Ich mag so herber Post nicht erster Bothe sein.   17

C h a r m i u m. Cyllenie / geht rufft wen von Trabanten ein.

I r a s. Ihr Götter! hab't ihr denn Egyptens gar vergässen /

    Und unser; denen man wird disen Fall' zu mässen?

    Kan keine trübe Wolck' uns hier vorbey nicht gehn?

    Muß Ptolomaeus Stul Fall über Fall ausstehn?   18

Wer wird Cleopatren satt zu bejammern wissen?
Laß mich nur noch einmal zu gutter letzte küssen /
Entseelte Königin! nun Göttin! disen Mund /
Durch dessen libreitz selbst di Götter worden wund.

Eteocles. Etliche andere des Antonius Trabanten. Charmium.
Iras. Cyllenie, und das andre Frauen-Zimmer.

E t e o c l e s.
    Welch Blitz rührt meinen Kopf? wo bin ich hingeleitet?   185
    Wem hat man Sarch und Grufft und Grabmal zubereitet?
    Wi? bin ich bei Vernunfft? träumt mir? bin ich bei Sinn'?
    Ist dis Egypten Land's erblaste Königin?
C h a r m i u m.
    Ach Leider! ja si ists! di Pallas unsrer Jahre /
    Das Wunder der Natur ligt auf der Todten-Baare.   190
    Di Sonne dises Reichs versanck' ins todte Meer.
E t e o c l e s.
    Ach Götter! ach! wo rührt so schwerer Unfall her?
I r a s.
    Sie hat durch Gift ihr selbst das Lebens-Garn verschnitten.
E t e o c l e s.
    Hilf Himmel! kontet ihr solch Unglück nicht verhütten /
C h a r m i u m. Wer darf den Königen Gesätze mahlen vor? 195
E t e o c l e s. Auch dise geben oft dem Rath' ein offen Ohr.
I r a s.
    Wir suchten / doch umbsonst das Gifft ihr auszuwinden.
E t h e o c l e s. Di Ausflucht kan euch nicht von Schuld und
                         Straff' entbinden /
C h a r m i u m.
    Was das Verhängnüs schleust ruht nicht in unser Macht.
E t h e o c l e s.
    Was mein't ihr? daß si hab' auf disen Schluß gebracht?   200
C h a r m i u m.
    Nicht's / wi si vorgab sonst als ihr Verdruß zu leben!

Als di bestürtzte Zeit di täglich's ach umbgeben /
Und di von dem August andreuende Gefahr.

Etheocles.

Wi? daß ihr grosser Muth itzt erst so zaghaft war?

Charmium.

Ein Schiff / wi steif es ist / läßt di erbosten Wellen   20
Nach unerlastem Sturm sich endlich doch zerschellen.

Etheocles.

Weh dem / der oft das Schiff verwahrlost ohne Noth!
Ich eile dem Anton den jammer-reichen Todt /
Der grossen Königin umbständlich zuerzählen.
In deß lass't dennoch nichts an Fleiß' und Mitteln fehlen / 21
Schaff't kostbar Zimmet-Oel und kräfftig Wasser her /
Bestreichet Schläff' und Pulß: schaut' / ob ihr ungefähr /
Den kalt-erstarrten Leib mit reiben mög't erquicken.

Iras.

Der Himmel wolle mehr uns Hülff' als Hofnung schicken.

Der Schauplatz verwandelt sich in des Antonius geheimes
Zimmer.
Des Antigonus, und Artabazes Geist. Antonius. auf einem
Bette schlaffend. Eros, gleichfals zu seinen Füssen.

Antigoni Geist.

Di Erde bricht / der Abgrund reiss't entzwei /   21
Di Rachche tagt mich aus der Nacht der Höllen /
Wo di mit Mord und Blutt besprützte Seelen /
Sich laben durch ihr Angst-Geschrey.
Du Mörder / den stets Mord und Brand gelüstet!
Schau' an mein Schatten-Bild / den Nebel meiner Faust / 22
Mit Flamm' und Fackel außgerüstet.
Dis Pech / di Glutt / für der dir graust /
Sind deines Untergang's ergrimmte Blutt-Cometen;
Di deines Hertzens schwartze Nacht /

216 tagt = ruft zum Gerichtstag.

Mit bebend-banger Furcht und stetem ach erröthen. 225
Dein Gewissens-Wurm erwach't /
Und mein beschimpftes Bild gibt einen Spigel dir /
Darinnen du kanst deine Laster schauen.
Für denen dir itzt selbst muß grauen.
Schau an erhitzter Löw' / erbostes Tigerthier / 230
Wi du den geweihten Zepter Henckers-Hand zerbrechen
       liessest /
Und mit knecht'schen Peitsch' und Rutten den gesalbten
       Leib zerrissest
Wi du mein gekröntes Haupt Sklaven machtest
       unterthan /
Und an ein verdammtes Holtz nageltest di Glider an.
Erzitterstu du wildes Unthier so / 235
Für deines ermordeten Königes Schatten?
Dis kommet / Tirannen / euch billich zu statten;
Daß euch ein Espen-Laub / ein Rauch / ein raschelnd
       Stroh /
Ja blinde Fantasi / ein irrend Licht erschrecket /
Und mit blutt-roten Purper-Farben / 240
Euch abmahlt di Gewissens Narben!
Daß ihr di Natter selbst in eurem Busem hecket
Di euch beist / sticht und necket.
Ja! nicht nur schreckt / euch auch wol zwinget:
Daß ihm ein Blutt-Hund selbst verzagt sein Licht
       außläscht / 245
Und sein' ergrimmte Klau im eignen Blutte wäsch't.
In dem es ihm noch nicht so gutt gelinget:
Daß ihn ein frembder Dolch ja nicht sein Knecht
       umbbringet.
Jedoch! schau her! ich wil dir gnädig sein /
Und dir den Dinst noch thun / den Sklaven dir versagen / 250
Di doch für deine Brust Schild / Helm / und Harnisch
       tragen /
Zu säncken dir dis Schwerd in Brunn der Adern ein;
In dem du doch wirst lernen müssen /

Wo nicht zuvor schon wissen
Daß der Tirannen Sarch und Mantel stets sei roth: 2
Ihr bluttig Ende sei keinmal ein trocken Todt:
Und / daß sie aufs Busiris Mort-Altaren /
Zur gelben Zeres schwartzem Eydam fahren.

Artabazis Geist.

Halt halt! verzih! halt Stahl und Stoß zu rücke!
Der Blutt-Hund ist nicht frembder Schwerdter wehrt: 2
Recht ists: daß der durch eigne Faust ersticke /
Der sich von Schweiß' und andrer Blutte nehr't.

Antigoni Geist.

Erschrecklicher Palast / da so viel Geister irren!
Da so viel Zimmer nichts als Todten-Grüffte sein!
Welch neu Gespenste dringt sich durch di Pfosten ein?   2
Was hör' ich umb den Leib für güldne Ketten schwirren?
Sein Haupt bekrönet Gold / di Füsse tragen Stahl
Und sein entblöß'ter Hals ein bluttig Wunden-Mahl.

Artabazis Geist.

Das Haupt Armeniens hat disem Mörder müssen /
Auch Füß' und Bügel küssen.   2
Der Räuber samlete den Schweiß der Völcker ein /
Daß er durch meiner kostbahr'n Fässel Zihrde /
Bezeugte seine Mord-begihrde /
Nebst der meist ein Tirann verschwändrisch pflegt [zu]
                              sein;
Biß endlich er von Brunst und rasend-blinden liben /   2
Ward durch ein wüttend Weib getriben:
Daß er doch ohne Schuld mir einen Blutt-Spruch schrieb /
Krafft dessen mir / das Beil den Kopf abhieb.
Jedoch du Wütterich / den Drach und Molch gesäuget /
Der du den Purper hast durch so viel Blutt befleck't /   2
Der doch für Stab und Stahl di Erdens-Götter deckt
Hast dir nur Glutt ins Haus / Würm' in di Brust
                              gezeuget /
Und dein Blutt-fettes Schwerd gewetzt /
Das dein verzweifelnd Arm dir selbst ans Hertze setz't.

Auch trifft der Donner nicht nur dich; 285
Di Schlangen werden der auch Gifft und Geist aussaugen /
Di als ein Basilisk' aus den entflammten Augen
Sprütz't eitel Mord und Tod' umb sich.
Du zaubernde Medea diser Zeit /
Egyptens Helena / zwar durch dein lodernd Kleid / 290
Durch dein gebisamt Gift fällt der in mördrisch rasen /
Der dich als seinen Abgott ehrt;
Jedoch si / di dis Feyer aufgeblasen /
Erstick't auch in dem Rauch' und wird nebst ihm versehr't.
Erwache grimmer Fürst / weil du dir durch di Brust / 295
Wi das Verhängnüs heist / dis Schwerd hir treiben must!

Antigonus & Artabazes.

Wache Tiranne! denn Donner und Rache /
Krachet / erwache! Verräther / erwache!

Antonius. Eros. Trabanten. Eteocles.

Antonius.

Auf / Eros! Diner auf! es ist nicht schlaffens Zeit /
Nun auch der Abgrund selbst auf uns sein Feuer spei't! 300
Auf! auf! Mord / Gift und Brand ist embsig uns zu
tödten!
Auf! last der Ampeln Glas durch brennend Oel erröthen!
Auf Eros! ist kein Mensch der umb den Fürsten wacht'?

Eros.

Ach! leb' ich? bin ich todt? wer stör't di schwartze Nacht /
Mit Flammen / Glutt und Licht?

Antonius.   Auf! auf! Feind! Feind! Trabanten 305
Trabanten! seit ihr taub? was für Verräther rannten
Durch Pfort' und Wachten weg?

Trabanten.   Wir sind von Schrecken kalt!

Antonius. Bringt Fackeln! suchet durch!

Eros.   Hilf Gott! wer braucht Gewalt?

1. Trabant. Wir Zittern voller Furcht!

Antonius.   Ist Burg und Schloß versehret?

2. Trabant.

Wir haben nichts geseh'n / ach! aber viel gehöret!   310

Eros. Welch Blitz umbschüttet mich!

Antonius.   Weiß denn kein Mensch nicht rath?

Eröfnet / was für Furcht euch überfallen hat?

3. Trabant.

Das Haar steh't uns zu Berg' / uns beben alle Glider.

Des Fürsten Stimme gab uns di Vernunfft kaum wider;

Solch ein erschrecklich Knall erschütterte den Saal.   315

Eros.

Ach Himmel! ach! mich traf ein grimmer Donnerstral!

Antonius.

Entdeck' es / was du hast erschrecklichs vorzubringen.

Eros.

Herr / ich sah' ins Gemach zwei grimme Geister dringen /

Gerüstet in der Hand mit Schwefel / Pech und Schwerdt

Di Glutt ward dir aufs Haupt / der Stahl aufs Hertz

gekehrt!   320

Antonius.

Ach Himmel! ach wir sind / wir sind wir sind verlohren!

Es hat kein falscher Traum dis Schrecken uns gebohren!

Ach Himmel! wir sind hin!

Eros.   Fürst / da ichs glauben darf /

Ligt hir der Dolch / den das Gespänst' an Boden warf.

Antonius.

Es ist mein eigen Dolch / hir steckt di leere Scheide.   325

Hengt denn der Fürsten Fall nur an so dinner Seide!

Trabanten tretet ab! O hellen-schwartze Nacht!

In der mehr Furcht umb uns als unsre Sklaven wacht!

Bestürtzte Seelen-Angst! durchaus-vergältes Leben!

Muß denn der Sorgen-Wurm stets an den Cedern kleben!   330

Kan denn kein Purper-Kleid nicht ohne Blutte sein /

Und nisten in Scharlat nur fette Schlangen ein?

---

332 Scharlat = Scharlach (Krankheit).

Muß Angst und Aegel stets an Fürsten-Adern nagen?
Muß den[n] der Blitz allzeit nur in Paläste schlagen?
Und bleibt di Schäffer-Hütt im Sturmwind unversehrt?   335
Wi? daß der blinde Mensch dis fleucht und jenes ehrt?
Ihr Parzen / di ihr uns den Lebens-Fadem spinnet /
Wi kommts: daß einem Gold von eurem Rocken rinnet?
Daß ihr dem Silber dreh't / dem andern Stal und Blei?
Dem reist di Spille bald dem andern spät' entzwei.   340
Ihr Parzen / wie daß ihr das Gold der ersten Jahre /
Mir itzt in Ertzt verkehr't / und mir di Todten-Baare /
Mit so viel Jammer schwärtzt? sucht ihr so sehr mein
                                    Grab?
So schneidet mir nur bald den Drat des Lebens ab /
Eh' iede Spanne sol ein frisches Leid einschlingen.   345
E t e o c l e s.
    Ach Fürst! ach dörft' ich doch di rauhe Post nicht bringen!
A n t o n i u s. Was ist's?
E t e o c l e s.   Cleopatra.
A n t o n i u s.   Was ists? verschweig es nicht.
E t e o c l e s.
    Di grosse Fürstin hat durch Gift sich hin gericht.
A n t o n i u s. Cleopatra durch Gift?
E t e o c l e s.   So ists / wi ich erzehle.
A n t o n i u s.
    Läscht das Verhängnüß denn di Unglücks-Glutt mit Oele?   350
    Armseeliger Anton! unheilbar Hertzen-Riß!
    Armseeliger Anton! ist / was du sagst / gewis /
E t e o c l e s.
    Ach Fürst / ich habe selbst an der erblasten Leichen /
    Den Todten-Schweiß geseh'n; es war kein Lebens-
                                    Zeichen /
    Mehr an dem Pulse dar. Di Brüste wahren Eiß /   355
    Der Adern Türckis Schnee / di Mund-Korallen weis.
    Darzu so liß sie selbst auch durch ihr Sterben schauen:

333 Aegel = wohl Blut-Egel.
340 Spille = Spindel.

Daß sie Cleopatra ein Fenix edler Frauen /
Di ander Isis sei / in dem sie selber ihr /
Aus Gold und kostbar'm Ertz aus Jaspis und Porfier /   360
Ein Grabmal hat gebaut' / und zwar den Geist
                                    verlohren /
Doch ein unsterblich Lob ihr sterbende gebohren.

Antonius.

Ihr leichten Götter ihr / di kein Erbarmnüß regt /
Wi daß der Blitz so stets auf eine stelle schlägt?
Muß unser Hafen uns / nun auch zum Wirbel werden?   365
Unglücklicher Anton! verlassenster auf Erden!
Nun muß dein Lebens-Schiff schnur-stracks zu grunde
                                    gehen /
Nun auch dein Ancker nicht hat können feste stehn.
Cleopatra mein Licht! Cleopatra mein Leben!
Du Seele meiner Seel'! umb deinen Schatten schweben /   370
Di Lebens-Geister schon / di mich di heisse Noth /
Dir aufzuopffern zwingt / komm' angenehmer Todt
Erwünschter Jammer-Port! ich suche dein Gestade;
Wer deine Küsten kiest / der seegelt recht gerade /
Den Glückes-Inseln zu. Cleopatra mein Licht!   375
Ach! ich erblicke schon dein sternend Angesicht!
Schaut ihren neuen Stern in den Saffirnen Zimmern /
Und den verklärten Geist umb dise Pfosten schimmern;
Hört! wi di Turteltaub' umb ihren Buhlen girrt
Der in der Sterbligkeit ein-öder Wüsten irrt.   380
Schaut / wi ihr Göttlich Haupt mit Ariadnens Kräntzen /
Schaut / wi di Augen ihr als Ledens Kinder gläntzen;
Schaut / wi ihr Rosen-Mund gleich einer Sonne spielt /
Di steter Athems-West mit feuchtem Balsam kühlt!
Schaut wie di Marmel-Brust sich mit Rubinen spitzet /   385
Wi di gewölbte Schooß wol-richend Ambra schwitzet /
Wi noch di Liebes-Flamm' aus Hertz und Adern quillt
Und unser schattîcht nichts mit güldnem Licht umbhüllt!

374 Wer deine Küsten, dein Reich erwählt, aufsucht.

Schaut ihrs? Hir steht si ja. Si reich't uns Arm' und
Hände /
Si küßt / si armet uns. Cleopatra / nein wende   390
Dein Antlitz nicht hinweg! nein / bin ich doch bereit /
Der morschen Sterbligkeit meist schon vermodert Kleid
Dem Cörper abzuzihn. Nicht scheue meinem Schatten /
Den Himmel-hohen Geist der Seele zu zu gatten!
Schau doch! ich atheme mehr in dir als in mir /   395
Komm Schwerdt! komm süsser Todt! vermähle mich mit
ihr.
Weg Thron! weg Zepter weg! dein kaum erschwitztes
prangen /
Ist wi ein Regenbog' in schlechte Flutt zergangen.
Ich mag mit deiner Lust nicht mehr gebürdet sein /
Nun keine Venus sie mit Libe zuckert ein;   400
Nun gutte Nacht! der stirbt den Glück und Himmel
hassen
Ihr Knechte / seit hirmit vollkommen freigelassen;
Daß ja mein Todt gedeih' iedwedem zu gewinst:
Du Eros thu' uns nur noch diesen treuen Dinst /
Stoß den geweyhten Dolch in deines Herren Hertze.   405
Nicht fürchte dich / stoß zu! wi? gibstu weibschem
Schmertze /
Gibstu der Wehmuth nach? stoß / Eros / stoß stoß zu!
Verweiger disem nicht / der gerne stirbt / di Ruh.
Stoß her! di Brust ist blos. Wilstu dem / der dein Leben
Dir stündlich nehmen kan / Dolch / Stoß und Todt nicht
geben?   410

E r o s.
Herr / kan sein Vorsatz denn gar nicht geendert sein?
A n t o n i u s.
Schweig! Sklaven sollen nicht den Herren reden ein.
E r o s.
Doch für der Herren Heil Geist Seel und Leben wagen.

---

397 deine mit vieler Mühe erworbene Hoheit.

Antonius.
   Wi denn / vollbringstu nicht / was wir dir aufgetragen.
Eros.
   Des Herren Knecht trägt Stahl für ihn / nicht wider ihn.   41
Antonius.
   Es ist nicht wider uns / dis was man wil / vollzihn.
Eros.
   Kein Knecht darf seine Faust mit edlem Blutte färben /
Antonius.
   Der tödtet / der nicht den der sterben wil / läst sterben.
Eros.
   O Himmel-hoher Geist! O Sternen-wehrter Held!
   Wol an! mein Segel wird so / wi du heist / gestellt!   42
   Wol an! komm edler Stahl vollbringe das Beginnen
   Durch das ein Sklave noch kan eingen Ruhm gewinnen.
   Rom rühmt di Knechte noch / di in der Herren Glutt /
   Den freien Leib gestürtz't und durch verspritztes Blutt /
   Di Holtz-Stöß angefärbt. Eh ich der That sol leihen /   42
   Di viel zu treue Faust wil ich den Dolch entweihen /
   In meiner eignen Brust. Schau Held der Stahl dringt
                                                      ein!
   Ein Knecht sol / wenn der Herr stirb't / nicht bei Leben
                                                      sein!
Antonius.
   O mehr als edler Knecht! dein Tugendhaft Gemütte
   Sticht tausend Römer weg / und lehrt: daß das
                                              Geblütte;   43
   Daß das Gefängnüs auch nicht wahre Sklaven macht.
   Entröthe dich Anton! daß Eros dis vollbracht /
   Was dich erst lehren muß ihm rühmlich nachzusterben.
   Auf! rüste dich Anton! auch disen Dolch zufärben /
   An dem das frische Blutt des edlen Sklaven klebt.   43
   Stoß ein! wer rühmlich stirbt der hat genung gelebt.

Antonius. Eteocles. Dercetaeus. Diomedes. Etliche Trabanten.

Eteocles.
 Ihr grimmen Götter ihr / ist dis das Grundgesätže:
 Daß hoher Fürsten Blutt stets kaltes Eisen nätze!
 Daß Sonnen heller Glantz meist wäßricht untergeh'
 Und hoher Thürme Ruhm stets auf dem Falle steh'! 440
Dercetaeus.
 Es ist nicht weinens Zeit wenn Thau und Ancker sincket!
 Man muß / wenn in der Flutt der Steuer Mann ertrincket /
 Umb Schutz-Herrn sinnen für / umb Hülffe sich bemühn.
 Laßt uns den scharffen Dolch aus Brust und Wunde zihn /
 Und durch dis Opffer uns den grimmen Feind versöhnen. 445
 Man folgt dem Strome nach der nicht ist abzulehnen.
 Ist dis der Dolch? der sich mit dessen Blutte netz't /
 Auf welchen Rom umbsonst viel tausend hat gewetzt.
Diomedes. Erwünschte Post! es ist Cleopatra bei leben!
 Last mir den Fürsten doch alsbald Gehöre geben. 450
Etheocles. Gehöre / Diomed / Gehör' und Sinn ist hin.
Diomedes.
 Glaubt sicher / glaub't es lebt Egyptens Königin.
Etheocles. Si mag ja / aber er nichts von Gehöre wissen.
Diomedes.
 Wolt ihr der Freuden-Post des Fürsten Ohr verschlissen?
Etheocles.
 Schaustu nicht / daß der Todt den Fürsten dir verschleust? 455
Diomedes.
 Ach Jammer! welche Wolck' ist / di dis Leid ausgeust?
Etheocles.
 Er selbst als er den Todt Cleopatrens vernommen /
 Ist durch Verzweifelung auf disen Irrthum kommen.
Diomedes.
 Verrücktes Trauerspiel! O grimmer Parzen Schluß!
 Ach! daß der grosse Fürst so bluttig fallen muß! 460
 Wi aber? ist niemand der nach der Wunde fühlet?

443 sinnen für = vorsorgen.

Der Narden auf ihn wag't / und ihn durch Eßig kühlet?
Stock-blinde! schaffet Wein und Wunden-Balsam her.
Wi? ist dis Zimmer itzt von eitel Bisam leer /
Daß sonsten voll Zibeth und voller Ambra schwimmet? 46

Eilt / bringt Schlag-Balsam / Wein / zerbeitzte Perlen /
Zimmet /
Granat-Korallen-Safft / wascht ihm di Wunden aus.
Bestreichet Schläff' und Pulß: es hopff't noch Hertz und
Mauß;

E t h e o c l e s.
Er athmet / er bewegt di was erwärmten Glider.
D i o m e d e s. Er rührt den Matten Mund.
A n t o n i u s.   Wer gibt den Geist mir wider? 47

D i o m e d e s.
Mein Fürst! er schöpffe Luft: Cleopatra lebt noch /
A n t o n i u s. Cleopatra?
D i o m e d e s.   So ist's.
A n t o n i u s.   Spart falsche Tröstung doch.
D i o m e d e s.
Ich wünsche mir den Todt da si nicht noch wird leben.
A n t o n i u s.
Wer hat durch falsche Post uns denn den Todt gegeben?
D i o m e d e s. Herr / zwar di Fürstin lag durchs Gifft gleich
als schon todt: 47

Nach dehm man aber ihr bei so bestürtzter Noth /
Durch starcken Mithridat und kräftiges Gewässer /
Als bald zu hülffe kam / ward der Prinzessin besser /
Und si erholet sich von Schwachheit allgemach.
A n t o n i u s.
O süsse Freuden-Post! ihr Götter gebet nach: 48
Daß ich noch einmal nur / eh' ich di Augen schlüsse /
Cleopatren mein Licht / si meine Sonne küsse.
Gewehrt / ihr Götter / nur noch dise bitte mir!
Trabanten traget uns unsäumbar hin zu ihr.

---

468 Mauß = Muskel des Daumens zum Puls hin.

Der Schauplatz stellet abermals für di Königliche Todten-
Grufft.
Cleopatra. Charmium. Iras. Cyllenie. Das Frauen-Zimmer.
Anton. di Trabanten.

Cleopatra. Wird uns nun auch der Weg zu Gifft' und
Grufft verschnitten?   485
    Muß das Verhängnüß denn noch auf mich todte wütten.
    Nu euer Vorwitz uns schier dreimal sterben heist /
    Weil schon zum andern mal mein einverleibter Geist /
    Im sterbenden Anton des Todes Schatten küsset.
    Geht / weil ihr doch kein Heil für meine Wunde wisset / 490
    Geht eilt dem Fürsten nur mit Stärckungs-Säften zu:
    Mir bring't nur Gift: daß mans in mein Geträncke thu'.
    Ein Sklave mag den Kopf in Fesseln ihm zerdrücken;
    Und ihr dürft mir den Todt den Port der Noth
                                                   verstrücken?
Iras.
    Man trägt / Prinzessin / gleich den Fürsten zu ihr her.   495
Cleopatra.
    Sind alle Wolcken denn itzt alles Blitzes leer?
    Sind keine Scillen nicht in diser See zufinden?
    Und kan kein Dolch kein Gift des Lebens mich
                                                   entbinden?
    O Himmel! daß dis Leid wir nimals dörffen schaun;
    Hieß unsre bange Furcht uns dis Begräbnüs baun?   500
    Ach! aber was uns hat den Anblick soll'n verhütten /
    Dis hat di tiefste Wund' ihm in das Hertz geschnitten!
    Ach Gott! si bringen ihn! mein Fürst / mein Haupt / mein
                                                   Licht!
    Lebt er / erblickt er uns? besinnet er sich nicht?
    Welch Sturmwind schmettert uns auf dise Schifbruchs
                                                   Klippen /   505

488 mein einverleibter Geist = meine lebende Seele.
493 mag . . . ihm zerdrücken = kann, darf sich zerdrücken.
494 verstrücken = verschließen.

Er athmet / er blickt auf / er rührt di blassen Lippen /
Das Wort erstirbt im Mund / es bricht der Angstschweiß
für.

A n t o n i u s. Mein Schatz!
C l e o p a t r a.   Mein Fürst?
A n t o n i u s.   Mein Licht!
C l e o p a t r a.   Mein Haupt?
A n t o n i u s.   Si drücke mir /
  Di starren Augen zu / nun si mein Geist gesegnet.
  Wenn diser letzte Trost noch meiner Angst begegnet: 510
  Daß ihre Schoß mir kan mein Sterbe-Küssen sein /
  So schift Anton mit Lust in Todt und Hafen ein.
C l e o p a t r a.
  Ach! sol Cleopatra deß Fürsten Tod erleben?
  Sol der gesalbte Leib ihm eine Baar abgeben?
  Ihr Götter gebet nicht so herben Unfall zu! 515
  Gift / Dolch / und Messer her!
A n t o n i u s.   Si gebe sich zu ruh.
  Si weiger' uns mein Schatz nicht unser letztes bitten.
C l e o p a t r a.
  Kan keine Schlange mehr kein tödtlich Gift ausbrütten?
  Lebt mehr kein Scorpion der uns entseelen kan?
  Eilt / macht Kristrall und Wein mit giftgern Molchen an. 520
A n t o n i u s.
  Wil si durch neuen Schmertz mich todten zweifach tödten?
C l e o p a t r a. Eh' uns di Untreu schwärtzt / sol uns der
Bluttschaum röthen.
A n t o n i u s.
  Gedult und Zeit verleiht gelinder Hülff und Rath.
C l e o p a t r a.
  Sagt / was Cleopatra noch gutts zu hoffen hat?
A n t o n i u s. Viel / nun mein Sterben nur des Keysers
Blutt-durst stillet. 525
C l e o p a t r a. Glaubt: daß der Zorn-Sturm mehr von mir
als ihm herquillet:
  Zu dem was fromt di Gunst des Keysers endlich mir?

Nun er / mein Haupt / mein Schatz hin ist / so schätzen
wir!
Thron / Kron und Reich für nichts / für Nebel Dunst und
Schatten /
Ich mag mit derer ach nicht mehr den Geist abmatten.　530
Genung / Cleopatra kan sterbend sanffte ruh'n /
Nun si dem Keyser nur darf keinen Fußfall thun.

Antonius.

Mein Schatz si lasse sich dis Irrlicht nicht verführen.
Und da mein Elend ihr nicht kan di Sinnen rühren /
Da auch kein Kind ihr nicht das Mutter-Hertze bricht.　535
So quäle si mich doch auch nach dem Tode nicht.
Denn / wird sie mir den Trost / ihr nicht das Leben
gönnen /
Werd ich auch in der Gruft nicht sicher ruhen können /
Der schwere Staub wird mir zermalmen mein Gebein /
Mein Grab wird öd und leer / mein Sarch entweihet sein.　540
Mein von Furcht blasser Geist mein von Angst Zitternd
Schatten /
Wird sich umb Mitter-Nacht mit mehr Gespänsten gatten /
Und durch di wüste Burg mit schrecken irre gehn
Zu schaun: in was für Noth Volck / Reich und Kinder
stehn.
Wird aber sie mein Licht / mir Sarch und Leiche
schmücken /　545
Di Augen-Lider mir ersterbenden zu drücken /
Den Cörper balsamen auf Ptolomeisch ein
So wird mein Leib erquickt / mein Geist beruhigt sein.

Cleopatra.

Ach! was für Elend wird mir ärmsten noch begegnen!

Antonius.

Di milde Sonne schein't nach dem betrübten regnen.　550
Mein Schatz! mein Geist wird schwach; mein Abschid ist
nicht weit.
Es ist das Testament zu machen hohe Zeit.
Nicht ich; ihr Mutter-Hertz befihlt ihr schon di Kinder /

Weicht dem Verhängnüsse / geb't nach dem Uberwinder.
Augustus sol nebst ihr ihr Neben-Vormund sein.   555
So gutte Zuversicht wig't oft den Löwen ein /
Der doch auf unser Brust schon Klau und Zähne wetzet.
Mein Leib werd auf di Glutt auf Römisch nicht gesätzet /
Sätzt ihn nur in di Gruft der Ptolomeer bei.
Der Dercetae sei loß und Diomedes frei.   560
All andres steht bei ihr. Dis ist mein letzter Wülle.
Daß auch mein Schatz gewis den letzten Schluß erfülle /
Besigel ihn ihr Mund durch ihren letzten Kuß.

C l e o p a t r a.
Ach! daß dis libe Band nichts gutts verknüpffen muß!
A n t o n i u s. Gebt mir noch einmal Wein. Ich sterb.
C l e o p a t r a.   Ach! er vergeht! 565
Geist / Puls und Wärmbd ist hin / der Brun der Adern
                                    steht
In todtes Eiß verkehrt. Mein Fürst / mein Haupt / mein
                                    Licht!
I r a s.
Wer hilft uns Aesten nun / nun unser Stamm zerbricht?
C y l l e n i e.
Ach wer steht ferner vor dem Haupt-entblösten Reiche?
C h a r m i u m.
Weh! unsre Königin erstarrt aufs Fürsten Leiche!   570
Tragt di ohnmächtige weg in ihr Schlaffgemach.
Di gegen wart gibt stets zu sehr der Wehmuth nach.

              Reyen der Parcen.
          Clotho. Lachesis. Atropos.

A l l e d r e y.
     Ihr schnödes Volck der Sterbligkeit /
     Wi daß ihr so sehr alber seit?
     Wenn ihr di Zeit- und Glückes-Flucht /   575
     Durch euren Witz zu hemmen sucht.

Glaubt: daß ihr Sinn / und Hand hirumb vergebens
schärf't /
Und ohne Frucht und Grund in Trübsand Ancker wärfft.

L a c h e s i s.

Durch euren Witz ist nichts gethan.
Denn Clotho legt den Rocken an; 580
Di / was / und wiviel ihr belibt
Zu eurem Lebens Fadem gibt.
Wi der Verhängnüs-Schluß euch gram ist oder hold /
Gebraucht si euch darzu Flachs / Seide / Silber / Gold.

A t r o p o s.

Was Tag und Nacht mit euch beginnt / 585
Dis ist / was Lachesis euch spinnt.
Schaut wi ihr eisern Wirtel schwirrt /
Wi ihre Faust das Garn verwirr't /
Es nütz't und schadet euch der Sterne kräftig Lauff /
Nach dem di Parce Garn dreh't auf di Spindel auff. 590

C l o t h o.

Wenn Lachesis den Lebens-Drat
Aufs köstlichste gesponnen hat /
So steht es meiner Schwester frei /
Zu reissen Garn und Geist entzwei.
Gleich wi di Ros' oft stirb't eh' sich di Knosp' aufmacht / 595
So mach't euch Atrapos aus Mittag Mitternacht.

A l l e d r e i.

Der Jugend Glutt / des Alters Eiß /
Der Wollust Dunst / der Tugend Preiß /
Der Purper und ein Hären Kleid /
Der Zepter und ein Grabescheid / 600
Gib't euch kein neues Recht / uns keinen
Ordnungs-Zwang /
Wir theil'n nach willkühr aus Geburth / Blüth' /
Untergang.

C l o t h o.

Cleopatrens versponnen Gold /
Wehrt länger nicht als ich gewolt.

Das Silber des Anton wird Bley /   6
Eh' es der Unfall reis't entzwei.
Eh' man di Hand dreh't umb / der blick vom Auge fährt /
Hab' ich di Seid in Strick / Scarlat in Stro verkehrt.

Lachesis.
   Ich spaan am Nilus dem Anton /
Das Gold zum Purper und zur Kron /   6
Und Seide zu der blinden Lust /
Aus eines geilen Weibes Brust.
Doch / wi des Seiden-Wurms Gespinste wird sein Grab /
So gibt dis Garn ihm auch den Sterbe-Kittel ab.

Atropos.
   Der Nil sei Zeuge meiner Macht /   6
Di itzt auf seine Götter kracht:
Des Fürsten Faden trenn't ein Dolch /
Cleopatrens zerbeist' ein Molch.
So bald di Uhr auslauft fäll't auch mein Fallbeil ein /
Und solte / der da fällt / gleich selbst sein Hencker sein.   6

Alle drei.
   Jedoch sind wir nicht scheltens wehrt /
Daß unser Blitzen euch verzehrt;
Weil doch der Donner / der euch stürtz't /
Euch oft ein langes ach verkürtzt.
Wenn edle Freiheit sol in knechtsche Ketten gehn /
Muß euch der Todt beim Sturm für einen Hafen stehn.   6

Di vierdte Abhandlung.

Der Schauplatz verändert sich in des Augustus Gezelt.
Augustus. Dercetaeus. Der Trabanten Hauptmann.

Augustus.
　Was ist di Heimligkeit / di du uns wilst entdecken?
Dercetaeus.
　Herr / disen scharffen Dolch und seine Purper-Flecken.
Augustus.
　Durch weßen Hand und Blutt ist diser Stahl benätzt?
Dercetaeus.
　Herr / Fürst Anton hat ihn ihm selbst ans Hertz gesätzt.
Augustus.
　Was hett' ihn noch zur Zeit zu solcher That bewogen?　　5
Dercetaeus.
　Ich habe selbst den Dolch ihm aus der Brust gezogen.
Augustus. Den du gewiß zuvor ihm hast hineingesteckt.
Dercetaeus.
　Der Himmel wolle nicht: daß mich solch Mord befleck't.
Augustus.
　Man weiß was Sklaven sich oft mördrisch unterwunden.
Dercetaeus.
　Ich weiß wi hoch ein Knecht dem Herren sei verbunden;　10
　Wi weit ein böser Mensch durch Laster kommen kan.
　Nein! Dercetaeen klebt kein solches Brandmal an.
　Der Schatten folgt dem Licht / di Pein dem Ubelthäter.
　Man lib't Verrätherei; doch haßt man den Verräther.
　Es sucht di Rache zwar oft ihres Feindes Blutt /　　15
　Doch ist si dem / der es ihr lifert / nicht stets gutt.
　Anton hat selbst den Stahl ihm durch das Hertz getriben /
　Dem ich biß in den Todt aufrichtig treu verbliben:
　Auch wolt' ich noch nicht itzt des Keysers Treuer sein /
　Vergrübe Nacht und Todt nicht meinen Herren ein.　　20
　Nun aber Fürst Anton nicht mehr mein Herr ist bliben /
　Trag ich den Mohren auch zu dinen kein beliben:

Der ich in Rom erzeug't / noch so viel Römisch kan:
Es stehe mir kein Herr als nur ein Römer an.
Und weil man sich doch auch verlib't ins Feindes Tugend /   25
So wil ich keinem sonst aufopfern Geist und Jugend /
Als dem an Rath und That unsterblichen August.
Schweb't nun ein Tropffen Blutt ein Athem in der Brust /
Der falsch und untreu ist / so mag das Schwefel-Blitzen /
Den kohl-pech schwartzen Brunn der Adern mir
                              zerritzen.   30
Wo nun der Keyser mich zum Sklaven würdig schätzt /
Hat mein verwegen Fuß hir glücklich angesätzt.

Augustus.
Darf sich der Keiser wol auf deine Worte gründen?

Dercetaeus.
Man wird di Glutt eh' kalt / als mich hier falsch befinden.

Augustus.
Wenn hat Anton an sich so grimme That vollbracht?   35

Dercetaeus.
Vor keiner Stunde nicht / es war schon Mitternacht.

Augustus.
Wi bistu so gar bald durch Wach und Pforten kommen?

Dercetaeus.
Wol! denn ich hatte vor das Losungs-Wort vernommen.

Augustus.
Was meinstu? welch ein Sturm hab' ihn in Grund gejagt?

Dercetaeus.
Weil man Cleopatren ihm fälschlich todt gesagt.   40

Augustus. Uns tauret / daß der Mann durch ein solch
                              Weib sol fallen.
Der Libe Gifft ist doch das giftigst' unter allen;
Wi manchen hohen Sinn hat doch di Pest verzehrt /
Wi manche Länder hat di Glutt in Rauch verkehrt!
Vermaledeites Weib / sei tausend mal verfluchet!   45
Wir woll'n entschuldigt sein. Augustus hat versuchet /
Was zu versuchen war. Doch er schlug alles aus.
Wer sich nicht leschen läst / der siht sein brennend Haus /

Gar billich in der Asch'. Jedoch / der Unfall zwinget
Uns bittre Thränen ab. Anton dein Kleinmuth bringet   50
Dich selbst umb Geist und Reich / und dein verzweifelnd
Stich
Beraubt des Wolthuns uns / des Lebens aber dich.
Hat das Verhängnüs denn uns nicht den Ruhm wolln
gönnen;
Daß wir zwar sighaft sein / doch auch vergeben können?
Jedoch der Schmertz muß nicht verspilen Glück' und Zeit / 55
Ein Augenblick versäumt Sieg und Gelegenheit.
Stracks / Hauptmann! lasset sich di Läger fertig machen.
Den aber / laß't in deß aufs fleissigste bewachen.

Augustus. Proculejus. Corn. Gallus. Trabanten Hauptmann.

Hauptmann.
  Hochmächtig-grosser Fürst / ein Hauptmann des Anton /
  Such't ängstiglich Verhör.
Augustus.   Sehr wol! wir wissen schon   60
  Den Vorschmack seiner Angst. Er wird zum Kreutze
krichen.
  Beruft di Räthe bald. Wiviel ist Nacht verstrichen?
Hauptmann.
  Es sind noch ungefähr zwei Stunden bis an Tag.
Augustus. Sagt dem Canidius: daß er uns sehen mag.
Hauptmann. Gewafnet?
Augustus.   Nehm't ihn an als andere Gesandten / 65
  Durch der Trompetenschall begleitet von Trabanten.
  Gleich recht! ihr stell't euch ein zu rechtgewünschter Zeit.
Gallus.
  Wir sind ins Keysers Dienst bei Tag und Nacht bereit.
Augustus.
  Des Feindes Hochmuth fällt. Wir solln Gehöre geben.
Proculejus.
  Der Keyser wolle stets glückhaft und Siegreich leben.   70

A u g u s t u s.

Was meint ihr? was für Blutt hat disen Dolch befleckt /

G a l l u s.

Was gilt's; er hat dem Feind' in seiner Brust gesteckt.

A u g u s t u s. Du trifst's / Anton hat ihm hirdurch den
Geist benommen.

P r o c u l e j u s.

Hilf Himmel! wi ist der ins Keysers Hände kommen?

A u g u s t u s.

Durch den / der ihn ihm selbst gerückt aus seiner Brust.

P r o c u l e j u s.

Glück zu! solch Fall erhöht und solch Verlust gibt Lust.

G a l l u s.

Man sol obs Feindes Fall sich spigeln nicht erfreuen.

P r o c u l e j u s.

Es würd' Anton wol nicht des Keysers Todt bereuen.

G a l l u s. Man fragt nicht nach dem Thun / nur nach dem
Sollen viel.

P r o c u l e j u s.

Des Feindes Knochen sind der Siger Kurtzweil-Spiel.

G a l l u s.

Doch / Caesars Thrän' ist auf Pompejens Kopff geronnen.

P r o c u l e j u s.

Das Auge wölckt sich oft; im Hertzen scheinen Sonnen.

G a l l u s. Meinstu daß Julius di Weh'muth hab' erticht?

P r o c u l e j u s.

Wer sich nicht anstelln kan / der taug zum herrschen nicht.

A u g u s t u s. Wi solln wir denn des Feinds Gesandschaft itzt
empfangen?

P r o c u l e j u s.

Es werd / itz't auch mit ihm was spöttlich umbgegangen.

G a l l u s. Was spöttisch? wi warumb?

P r o c u l e j u s.   Ist dis wol fragens Noth?

Weil er verächtlich hielt den / der ihm Gnad anboth.

---

84 anstelln = verstellen.

G a l l u s.
 Wi hengstu hier nicht auch den Mantel nach dem Winde?
P r o c u l e j u s. Was nützt es hier?
A u g u s t u s.   Daß man den Feind uns mehr verbinde. 90
P r o c u l e j u s. Den / der durch's Hauptes Fall und uns
                              schon kraftlooß ligt.
G a l l u s. Der Leib wird nur durch's Schwerdt / der Geist
                              durch Gunst besigt.
 Gesätzt: daß dise Nacht den vollen Sieg uns gönte /
 Da doch di Stadt noch wol viel Bürger fressen könte /
 Da Caesar einen mehr als tausend Mohren schätzt: 95
 Glaubstu / man hett' alsdenn hier festen Fuß gesetzt?
 Nein! Rom wird nimmermehr den grossen Nil recht
                              zwingen.
 Wirds di Gemütter nicht auf seine Seite bringen.
 Dis muß di Sanftmuth thun / di Tiranney thut's nicht.
P r o c u l e j u s.
 Du weist: daß Afrika stets Treu und Glauben bricht.   100
 An Völckern / di ans Joch zu Sklaven sind gebohren /
 Ist ein gelinder Zaum des Regiments verlohren.
 Der Kapzaum bändigt nur ein wild und kollernd Pferd;
 Der Ernst dis Volck / wenn man recht durch den Sinn ihm
                              fähr't.
G a l l u s. Ernst / Haß / und Furcht wird wol kein taurend
                              Bündnüs schlissen /   105
P r o c u l e j u s.
 Si hassen; wenn si nur den Herrscher fürchten müssen.
G a l l u s. Nimmt man der Schlang' ihr Gift / verkreucht
                              und beugt si sich /
 Krigt si denn frische Kraft / so gibt si stich auf stich.
A u g u s t u s.
 Last anfangs uns den Feind mit linden Fingern streichen.
 Hülft's nicht / so häuft man denn Schwerd / Flamme /
                              Mord und Leichen.   110

---

106 Si hassen = Sie mögen hassen (oderint dum metuant).

Canidius. Augustus. Corn. Gallus. Proculejus. Ptolomaeus.
Alexander. Di Trabanten.

C a n i d i u s. Der Himmel / grosser Fürst / kämpf't nun
mehr selbst für dich;
Der nie gebeugte Nil bückt für der Tiber sich /
Egypten weichet Rom / Cleopatra dem Keyser.
Der Götter Rath verkehrt dir di Zipressen-Reiser /
Des sterbenden Anton in einen Lorber-Krantz.
Der Mohren Capitol legt nunmehr Kron und Glantz /
Dir / ander Jupiter / freiwillig zu den Füssen:
Nun dises Reiches Sonn' Antonius hat müssen /
So bluttig untergehn. Doch / wi di Abend-Röth' /
In dem si in das Meer bepurpert untergeht /
Ein helles Morgen-Licht der Sonnen uns bedeutet:
So: da Anton so roth sein Grabmal zubereitet /
Hof't nach so trüben Sturm Egipten Sonnen-schein /
Und wünscht: es mög' August itzt seine Sonne sein.
Si selbst Cleopatra di Keyserin der Mohren /
Hat bei so hartem Fall nicht allen Rath verlohren;
Si andre Zinthie geht weit dem Monden für /
Nun si / O Sonne / borg' ihr fruchtbar Licht von dir.
Wi / wenn ein Palinur in stürmer Flutt vertirbet /
Das Schiffs-Volck also bald umb neue sich bewirbet:
So machts Cleopatra; vergeh't ihr Steuer-Mann /
So trägt si dem August das Steuer-Ruder an.
Des Alexanders Stadt steh't itzt dem Keiser offen:
Und ob zwar kein Vertrag ist zwischen uns getroffen /
So traut di Fürstin doch dem Keiser so viel zu:
Er suche sonsten nichts als di gemeine Ruh' /
Als seiner Tugend Ruhm / Cleopatrens vergnügen.
Wird Caesar nebst dem Feind' auch so sich selbst besigen /
Di Rechte dises Reichs / den Purper nicht versehrn /
So wird er lebend schon di Zahl der Götter mehrn.

129 Palinur = der Steuermann des Aeneas; hier: Steuermann überhaupt.

Gantz Afrika wird ihn ohn allen zwang anbethen /
Das rothe Meer / daß nie kein Römisch Fuß betreten /
Wird dem Octavian freiwillig dinstbar sein /
Und Madagascar wird das Elephanten Bein /
Di Mohnden-Insel Gold / der Tiger edle Steine /   145
Den Juliern verehr'n: Augustus wird alleine /
Sich für den Herrn der Welt durchaus verehret schaun /
Wird er des Reiches Grund auf Gunst und Sanftmuth
                    baun.
Dis hofft Cleopatra / sie öfnet Port und Pforte;
Auch / daß der Keiser nicht nur auf so blosse Worte /   150
Der Stadt sich dörffe traun / so schwur si beim Altar /
Der Isis ihm di Treu' / und schickt dis libste Paar /
An statt der Geissel ihm. Dis sind di libsten Kinder
Des mächtigen Anton / di für dem Uberwinder
Den Fußfall willig thu'n. Augustus wird dis Pfand   155
Nicht hoffentlich verschmähn. Geht küst des Keisers
                    Hand;
Versöhnt des Siegers Schwerdt durch euer kindlich bitten.
Schau't / umb was Rom zeither halb fruchtloß hat
                    gestritten /
Dis krig't Augustus itzt vollkommen ohne Schwerd.
Doch ist der Keiser auch nur solcher Sklaven wehrt.   160
Es ist besigter Ruhm durch tapffre Faust erligen /
Es stirbt der Hector nicht durch des Achilles Sigen;
Der Scipio nimmt nicht den Ruhm dem Hannibal:
Sein steh'n und fallen bleibt Carthagens Stand und Fall.
Dis ist auch unser Trost. Wil nun des Keisers Gütte /   165
Besigen dises Reichs treuhertziges Gemütte /
Und unsre Königin als Sieger nicht verschmähn /
So wünscht si den August in ihrer Burg zusehn;
Zu küssen seine Hand / für ihm ihr Knie zu beugen.
Augustus.
Uns jammert des Anton! di Götter mögen's zeugen /   170
Es ist uns hertzlich leid; daß der so tapffre Held /
Der bessern Glückes werth / so unglückselig fällt.

Glaubt: daß wir selbst di Thrän in dis sein Blutt
vermischet /
Als der verfluchte Dolch uns hat dis Leid erfrischet.

C a n i d i u s. Hilf Gott! wo kömbt der Dolch hier schon
zum Keiser her!   17

G a l l u s.
Welch Fürstliches Gemach ist von Verräthern leer?

P r o c u l e j u s.
Dis lehr't euch / daß August all euer Ohnmacht wisse;
Wi sich di Königin aus Noth ergeben müsse.

C a n i d i u s.
Wir haben / sichert euch / noch nicht so grosse Noth.

P r o c u l e j u s.
So bald das Haupt abfällt / sind alle Glider todt.   18

A u g u s t u s. Es sei dem / wi ihm sei / di Gunst / ihr selbst
mußt's sagen /
Di wir oft dem Anton vergebens angetragen /
Der mehr durch eigne Schuld als unsre Waffen ligt /
Di werde nun vollauf den Erben zugefügt.
Laßt di Cleopatra bald unsre Gnade wissen /   18
Und daß der Keiser selbst ihr wünscht di Hand zu küssen:
Ja / weil wir auf ihr Wort zu trauen schlüßig sein /
So liefert ihr nur auch di Geissel wider ein.
Doch / weil man nicht allzeit dem Pöfel sicher trauet /
Wi si und Julius schon einmal hat geschauet /   19
Als daß ergrimmte Volck durch kläglich-teuren Brand /
Und wütend-tollen Grimm nach beider Leben stand:
Wird es di Königin für keinen Argwohn schätzen /
Dafern man Burg und Port mit Volcke wird besetzen.

C a n i d i u s.
Uns ist des Pöfels Trieb / des Fürsten Gunst bekant /   19
Der Keiser hat in dem und allem freye Hand.

A u g u s t u s.
Stadt / Tempel und Altar soll'n ihr alt Recht behalten;

174 erfrischet = erneuert.

Di Hohen ihr alt Ampt so wi bißher verwalten;
Und ihre Königin noch Majestätisch ehrn.
Di Römer solln kein Haar den Bürgern nicht versehrn.   200
Wir wolln für aller Heil mehr als für unsers wachen /
Den grossen Rath der Stadt zu Röm'schen Bürgern
                        machen /
Den armen vorschub thun / der Unschult pflichten bei'.
Und di gefangen sind / umbsonste lassen frei.
Den Römern / di gleich noch für euch im Harnisch
                        schweben /   205
Ihr' eingezogne Würd' und Gütter widergeben /
Kein Auge sol nicht naß / ja keine Hand nicht leer
Vom Fürsten gehen weg. Canidius / auch er
Sol seinen Ehrenstand zu Rom im Rathe finden.
Canidius.
   Dis wird den Fürsten uns / der Fürst uns ihm verbinden.   210

Augustus. Proculejus. Corn. Gallus.

Augustus.
   Das Wild ist in dem Garn'. Itzt ist es hüttens zeit:
Daß sich das schlaue Thier des Kerckers nicht befreyt'.
Itzt ist es hohe Noth di Natter so zu fassen:
Daß sie ohn unser Weh ihr Gifft muß fahren lassen;
Daß man Cleopatren so künstlich komme bei: 215
Daß ihrer Hochmuth Strahl der Römer Schau-Spiel sei.
Proculejus.
   Was könt' August in Rom für grösre Lust bereiten /
Als / da di Stadt dis Weib di Seuche diser Zeiten /
Di Schlang' in Afrika / di Rom auf Rom verhetz't /
Und unsrer Freiheit hat den Stahl an Hals gesetz't /   220
Ins Keisers Sigs-Gepräng' als Sklavin könte schauen?
Rom würde dir Altär und hundert Tempel bauen /
Dich in Corintisch Ertzt in Gold und Marmel haun /
Könt' es mit ihr gesperrt des Janus Tempel schaun.

Jedoch / wird ihr August sehr süsse müssen singen /   2
Im Fall er dises Weib vermein't nach Rom zu bringen.
G a l l u s.
Di reiffe Beere lockt den Vogel / Gold den Geitz /
Ein stummes Ehren-Bild den giftgen Hochmuths-reitz:
Man muß der stoltzen Frau des Keisers Libes-Strahlen /
Di Wunder der Stadt Rom des Haupts der Welt
                              fürmahlen /   2
Man siht manch nutzbar Quell aus schlechten Steinen
                              quälln:
Man laß ihr Bild zum Schein' in Venus Tempel stelln /
Man zünd' ihr Weyrauch an / man laß' ihr Ampeln
                              brennen
Und si / so wi si schwermt / sich eine Göttin nennen /
Ja / weil si ohne dis prangt mit der Isis Kleid /   2
So werd' ihr gar Altar und Pristerschafft geweiht:
Wird si so / wie ich fast muthmasse / sich bemühen
Durch ihren Gunst-Magnet des Keisers Hertz zu zihen;
So fange man den Wurm durch eigne Zauberei /
Und tichte: daß August verlibt / gefangen sei.   2
A u g u s t u s.
Wi wenn das geile Weib bald würcklich wolte liben?
Wi könten wir dis Werck mit fug nach Rom verschiben?
G a l l u s. Wer hir nicht scheutern wil / dem fehlt's an
                              Ausflucht nicht.
Ein Weib wi sehr es brennt verdecket Brunst und Licht /
Gibt sich so bald nicht bloß / lockt durch ihr widerstreben. 2
Der Eckel muß ihr Reitz / di Tugend Schminck' abgeben /
Versagt / was si selbst wünscht / wil halb genöthigt
                              sein.
Nichts minder brauche man auch disseits reinen Schein;
Man mahl' ihr süsse vor: daß si den Widerwillen /
Der Römer tieffen Haß nicht besser könne stillen /   2
Bei welchem beider Lib' nicht glücklich könte blüh'n;

234 schwermt = wähnt.

Als da si würde selbst nach Rom persöhnlich zihn /
Und durch ihr Tugend-Licht / durch ihrer Anmuth
                Sternen
Di Wolcken des Verdachts aus Rom und Welt entfernen:
Denn könte si und er mit mehr gewünschter Frucht /   255
Im heilgen Capitol / was Julius gesuch't /
Anton umbsonst verlangt / den süssen Zweck erreichen /
Für ihren Füssen schaun das Meer di Segel streichen
Den Weltkreis kniende ihr Dienst- und Zinßbar sehn /
Wiweit sich umb den Punckt di Sternen-Circkel drehn.   260
Augustus.
Wol! laßt di Segel uns recht nach dem Winde richten.
Man muß durch klugen Witz di schlaue List zernichten.
Das schwebend-hohe Nest des Papegoyens lacht /
Der Schlange zischen aus. Ihr beide / seit bedacht /
So bald di Stadt besetzt / der Hafen ist verwahret /   265
Daß ihr behuttsam sanfft und klug mit ihr verfahret /
Bedient Cleopatren / spring't ihr mit Troste bei /
Und meldet: daß August ihr Freund / ihr Schutzherr sei.

Der Schauplatz verändert sich in Cleopatrens Zimmer.
       Cleopatra. Proculejus. Gallus.

Proculejus.
Di Götter geben ihr / Princessin / Heil und Leben.
Cleopatra.
Der Himmel euch viel Sieg / uns last den Dolch hergeben! 270
Gallus. Verwirft Cleopatra des milden Himmels Gunst?
Cleopatra.
Der leichten Götter Grimm und ihrer Gaben Dunst.
Proculejus.
Man muß durch Flüche nicht di Götter mehr erherben.
Cleopatra.
Was fürchtet di / di nichts mehr wünschet / als zu sterben.

273 erherben = erbittern.

G a l l u s.
    Der so aus Kleinmuth stirb't / ist keines Ruhmes wehrt.   2⁰
C l e o p a t r a.
    Kein Ruhm der trüben Noth / di unser Hertz verzehrt.
P r o c u l e j u s.
    August schick't uns mit Trost und Hülf' ihr zuzueilen.
C l e o p a t r a.
    Ach! unsre Wunden kan August und ihr nicht heilen.
G a l l u s. Was / grosse Königin / verwundet si so scharf.
C l e o p a t r a.
    Nenn't iemand / den das Glück in solchen Abgrund warf.   2⁰
P r o c u l e j u s. Sie stand / und steh't noch itzt / und kan
                        noch ferner stehen.
C l e o p a t r a. Nun Ehe / Thron und Reich zu Grund' und
                        drümer gehen?
G a l l u s. Der Keiser wird noch dis noch jenes ihr entzihn.
C l e o p a t r a.
    Di Eh' ist im Anton / das Reich durchs Krigs-Recht hin.
P r o c u l e j u s.
    Dort macht's ein Wechsel gutt und hier des Sigers Gütte.   2⁰
C l e o p a t r a.
    Ja! da di Statsucht nicht uns beiden Trost verschnitte.
G a l l u s. Si sichre sich / August sei ihr geneigter Freund.
C l e o p a t r a. Der Freund bringt nur Verdacht / der Kron
                        und Zepter meint.
P r o c u l e j u s. Des Keisers Freundschaft heist di Kron-
                        sucht ihn vergessen.
C l e o p a t r a.
    Der Fürsten Freundschaft ist nach Vortheil nur zumessen.   2⁰
G a l l u s. August setz't ihre Hold sonst allen Vortheiln für.
C l e o p a t r a.
    Nein! mein Verhängnüs gönnt kein solch Gelücke mir.
P r o c u l e j u s.
    Wenns Meer hat ausgetobt muß man gutt Wetter hoffen.
C l e o p a t r a. Es hat nach falscher still' uns stets mehr
                        Sturmwind troffen.

P r o c u l e j u s.
  Ein Schiff besteht / wenn es den zehnden Schlag steh't aus. 295
C l e o p a t r a.
  Der zehn mal-zehnde stürmt auf unser Haupt und Haus.
G a l l u s.
  Der durch des Keisers Gunst si in den Port versetzet.
C l e o p a t r a. Auch Caesars Gunst hat euch und Rom auf
                                    mich verhetzet.
P r o c u l e j u s.
  Vielmehr Anton / der uns und Rom war allzustoltz.
C l e o p a t r a. Von Eichen / di gefällt / wil ieder lesen Holtz. 300
G a l l u s.
  Ligt Julius doch auch / doch / wer wil ihn nicht rühmen?
C l e o p a t r a.
  Di Sternen müssen selbst sein Siges-Haupt beblühmen.
P r o c u l e j u s.
  Mißt si denn dem August was mindre Tugend bei.
C l e o p a t r a.
  Ach! daß Augustus doch mein andrer Caesar sei!
G a l l u s. Si mag so viel auf den als jenen Caesar trauen. 305
C l e o p a t r a.
  Wi? daß August uns denn nicht würdigt selbst zuschauen?
P r o c u l e j u s.
  Der Keiser ist nicht fern / er wachet für ihr Heil /
C l e o p a t r a. O Wär uns seine Gunst umb unsre Seele feil!
G a l l u s.
  Der Fürstin Ruhm hat ihr den Keiser schonverbunden.
C l e o p a t r a. Des Ruhm's entfernter Strahl macht schlechte
                                    Seelen-Wunden.   310
P r o c u l e j u s.
  Er weiß: daß Caesarn nichts gemeines so sehr trib.
C l e o p a t r a.
  Was Caesarn hat vergnügt hat nicht August bald lib.
G a l l u s. Das so gar gleiche Paar kan keine Tugend hassen.
C l e o p a t r a.
  Man siht / di Tugend oft auf Tugend Schel-sucht fassen.

P r o c u l e j u s.
  Hier nicht. August erweist' ein anders in der That.
C l e o p a t r a.
  Erzählt / was er für Gunst für uns im Vorschlag hat.
G a l l u s.
  Im Vorschlag'? Er läßt ihr itzt schon Altäre bauen.
C l e o p a t r a. Kan er / di er besigt itzt eine Göttin schauen?
P r o c u l e j u s. Ja! weil er sich nicht si für überwunden hält.
C l e o p a t r a.
  Wißt: daß der höchste Pfeil auch desto tieffer fällt.
G a l l u s.
  Di höchsten Gipffel blühn / di mittlern trifft das Blitzen.
C l e o p a t r a.
  Man hat der Isis Bild noch gestern Blutt sehn schwitzen.
P r o c u l e j u s.
  Weil si ihr Licht gesehn durch ihres untergehn.
C l e o p a t r a.
  Muß Glück' und Unglück uns stets auf der Spitze stehn!
G a l l u s.
  Rom sol ihr Himmlisch Bild in Venus Tempel ehren.
C l e o p a t r a.
  Rom? das Cleopatren nicht hat woll'n nennen hören?
P r o c u l e j u s.
  Was Rom abwesend haßt / hält's oft anwesend werth.
C l e o p a t r a.
  Wi wird durch Gegenwart des Hasses Dunst verzehrt?
G a l l u s. Durch ihrer Tugend-strahl wird Haß und Rauch
                                         verlohren.
C l e o p a t r a.
  Mit Sonn und Tugend wird Neid / Schatten ja gebohren.
P r o c u l e j u s.
  Der Erde Schatten schwärtzt den tieffen Mohnd' allein.
C l e o p a t r a.
  Solln unsre Gaben denn was höhre Sternen sein?
G a l l u s.
  Di Augen werden Rom ob ihrem Glantz' entgehen.

Cleopatra.

Wi / daß sich Caesar nichts für uns wolt' unterstehen?

Proculejus.

Der Stand des neuen Reichs ließ es so bald nicht zu.   335

Cleopatra.

Der Keiser gönn' uns nur Egiptens sichre Ruh.

Gallus.

Wil si dem grossen Rom denn nicht ihr Antlitz gönnen?

Cleopatra.

Di Sonnen-volle Stadt wird uns wol missen können.

Proculejus.

Wi? wenn Augustus denn ihr Licht nicht missen kan?

Cleopatra.

Knipft ihr ins Capitol das Haupt der Erden an?   340

Proculejus.

Weil Rom nicht läßt von sich den Sitz der Keyser trennen.

Cleopatra.

Laßt Alexandrien das neue Rom denn nennen.

Gallus.

Verschmäht si / daß si Rom anbethe / denn so gar?

Cleopatra.

Schützt Römsche Götter doch nicht Rathhaus nicht Altar.

Proculejus. August der Rom beschürmt / wird si nicht
                                     Schutzlooß lassen.   345

Cleopatra.

Sein Schutz-Herr Julius hat müssen selbst erblassen.

Gallus.

Si steht des Keisers Wunsch' und ihrem Glück im Licht'.

Cleopatra.

Ich weiß / August begehrt selbst unsern Weg-Zug nicht.

Proculejus.

Sehr wol! August wird mehr als wir hir Rathes wissen.

Cleopatra.

Wir wünschen Knie und Hand fußfällig ihm zu küssen.   350

---

340 Sinn: Kann denn der Kaiser nur in Rom seinen Sitz haben?

Augustus. Cleopatra.

A u g u s t u s. Strahlt hier Cleopatra Egiptens Sonn uns an?
C l e o p a t r a.
    Di Gott August wol gar zur Göttin machen kan.
A u g u s t u s.
    Auf! schönste Königin / sie sol so tief nicht knien.
C l e o p a t r a.
    Ja! di besigte muß des Sigers Grimm so flihen.
A u g u s t u s. Cleopatra besigt uns und di gantze Welt.   35
C l e o p a t r a.
    Cleopatra / di itzt vom Thron in Abgrund fält?
A u g u s t u s.
    Di als ein glücklich Stern aus Nacht und Trübsaal steiget.
C l e o p a t r a.
    Di / da der Keiser wil / sich auf di Baare neiget.
A u g u s t u s.
    Der Keiser wünscht viel mehr am Gipffel sie zu schaun.
C l e o p a t r a.
    Ach! dörft ein scheuternd Schiff auf disen Ancker baun!   36
A u g u s t u s.
    Augustus wird ihr stets für Port und Ancker stehen.
C l e o p a t r a. Kan bei kolschwartzer Nacht uns ein solch
                                        Licht aufgehen?
A u g u s t u s. Auf Schnee folgt Lilg und Klee / auf Sturm-
                                        Wind stille Ruh.
C l e o p a t r a.
    Ach! schlüß August einmal das Thränen-Quäll uns zu!
    Gott / Keiser / Herr der Welt / denn dises sind di
                                        Nahmen /   36
    Di nach dem Julius alleine dir zukamen /
    Da / wi kein zweifel ist / des grossen Caesars Geist /
    Der aus der Sterbligkeit dich zu den Göttern reist /
    In deiner Seele steckt / da heiligs Angedencken /
    Den heiß-ergrimmten Feind kan auf Erbarmnüs lencken;   37
    Da sein geküßtes Bild hier ihm sein Hertze bricht /

Ach! so beschimpff' August uns wider Würde nicht.
Zwar Caesars Sige sind den Sternen eingeschrieben:
Daß aber er di / di vom Reiche war vertrieben /
Mit eigenem Verlust hat auf den Thron gesetzt /   375
Durch unser Feinde Blutt hat Land und Meer genätzt /
Dis hat ihn in di zahl der Götter einverleibet.
Da nun Cleopatren auch Thron und Freiheit bleibet /
Di zwar der Keiser itzt in seinen Händen hat /
So mehrt August itzt auch der grossen Götter Rath.   380
Groß-mächtiger Julius! kan ich mit Thrän und küssen /
Di ich auf dis dein Bild andächtig lasse flüssen /
Entsteinern Hertz und Geist / des mächtigsten August /
So schaft auch nach der Gruft uns dein Gedächtnüs Lust /
So sol / so lange man Cleopatren wird nennen /   385
In tausend Tempeln dir Oel / Weyrauch / Ambra brennen.

Augustus.
Bestürtzte Königin / si minder ihren Schmertz.
Es hat kein Julier / kein solch erbittert Hertz:
Daß er auf Fürstlich Blutt was knechtisches verübe.
Ihr sol kein Leid geschehn. Das Merckmal unser Libe /   390
Hat mein Thyraeus ihr vorlängst schon zugebracht;
Und Proculej entdeckt / wi wir so hoch bedacht /
Auf ihre Wolfahrt sein. Reich / Zepter / Freiheit / Leben
Sind gar ein weniges. Wir wolln was mehres geben.

Cleopatra.
Wir opfern alles dis dem grossen Keiser dar.   395
Wir schweren Treu und Pflicht auf Isis Bund-Altar /
Man gibt di Schlüssel hin zu Ptolomaeus Schätzen:
Ja! was Cleopatra / sich nicht wagt beizusetzen.

Augustus. Es steht Cleopatren zu wagen alles frei.

Cleopatra.
Ach! daß des Keisers Bild des Hertzens Redner sei!   400

Augustus.
Sol stummer Marmel mehr als ihre Zunge sprechen?

Cleopatra.
Weil grossen Kummern meist di Worte wolln gebrechen.

A u g u s t u s.
    Das Weh muß uns / wenn wir solln rathen / sein bekand.
C l e o p a t r a.
    Wer furchtsam bittet / gibt verweigern an di Hand.
    Schweig / schweig Cleopatra! Jedoch Aug' Antlitz gibet /   405
    Den heissen Seelen-Brand / di disen Caesar libet
    Wi jenen / an den Tag. Mein Herr / mein Haupt / mein
                                        Licht /
    Verwirf mein brennend Hertz; mein thränend' Auge
                                        nicht!
    Ich brenn'! ich brenn'! August! denn durch des Keisers
                                        Glider /
    Zeugt sich mein Julius mein Julius sich wider.   410
    Di Flamme / di mit ihm schon in der Asche lag /
    Bekommet frisches Oel. Dreimal-beglückter Tag!
    Als ich das Haupt der Welt umbschloß mit disen Händen!
    Ihr letzten Zeugen ihr / von seinen Libes-Bränden /
    Ihr Zeichen fester Treu' und Bothen heisser Brunst /   415
    Ihr Brieffe / geh't entdeckt di unverfälschte Gunst /
    Geh't mahlt dem Keiser vor das Muster unser Flámmen;
    Geht knipfft mit dem August Cleopatren zusammen:
    Wi ihr den Caesar uns verknipfflet bis ins Grab.
    Mein Licht! er werffe nicht di Blicke von uns ab!   420
    Weil so viel Thränen-Saltz ist durch dis Quell geronnen!
    Sehn itzt was wäßricht aus der Augen schwartze Sonnen;
    Doch sind noch unversehrt di Brunnen ihres Lichts;
    Di Angst hat uns versängt di Rosen des Gesichts /
    Der Säufzer dürrer Wind hat unsre Mund-Corallen   425
    Entfärb't und blaß gemacht. Di Brüste sind verfallen /
    Weil das ohnmächtge Hertz di Bälge nicht beweg't /
    Nicht ihre Milch beseel't / nicht an ihr Marmel schlägt.
    Doch / laß' uns nur August ein Anmuths-Zeichen fühlen.
    Schau / mit was blitzen nicht der Augen Nacht wird
                                        spielen /   430
    Schau / wi di Lippen sich bepurpern mit Rubin /
    Schau / wi das Schnecken-Blutt di Wangen an sich zihn /

Wi alle Glider sich in Perlen-Schnee verstellen.
Schau / wi di Brüste sich vom schnellen Athem schwellen!
Di Libe schärfft hier selbst di Waffen süsser Pein;   435
Libt uns der Keiser nicht / so muß er Kisel sein.
Er säufzet / er erblast! was gilt's? ich werd' es inne:
Es liget Livie dem Keiser in dem Sinne.
Mein Licht / er gläube fest: daß Liben Anmuth gibt /
Doch schmeck't ihr Zucker nur der / der den Wechsel libt.   440
Der Rose Gold vertreibt di Tulpen und Narzissen;
Selbst Titan pflegt bald den / bald jenen Stern zu küssen /
Und Phoebe gläntzt bald rund / bald legts' ihr Hörner bei /
Daß nicht ihr einfach Licht des Himmels Eckel sei.
Sih't er an Livien di Muschel-Töchter prangen: 445
Uns ist di Morgen-röth' [i]m Antlitz aufgegangen.
Di Bräune des Rubins sticht blasse Perlen weg.
Ich zweifle nicht: August erzielt den rechten Zweck.
A u g u s t u s. Welch Stein sol hier nicht Wachs / welch Eiß
                                    nicht Schwefel werden?
Der Schönheit starck Magnet; der Lib-reitz der
                                    Gebehrden /   450
Zeucht zu Cleopatren den folgenden August.
C l e o p a t r a.
Gebrauche dich / mein Fürst / der kräftgen Jahre Lust /
Di Zeit fleucht als ein Pfeil; di Wollust als ein Schatten.
Ein Hertze / das nicht wil der Libe Platz gestatten /
Ist ein umbwölckter Stern / ein Demant in der Flutt /   455
Ein Purpern Rosen-Haupt / das zwar di Knosp' aufthut /
Doch ungenützt in Staub der Blätter Gold läßt fallen.
Was nützen ungepflückt dem Schaume di Corallen?
Hingegen kan ein Held wol mehr vergnüget sein?
Wenn er di süsse Frucht des Siges erndtet ein /   460
Auf einer zarthen Schooß / und di halb-todten Glider /
Erquickt durch süssen Thau belibter Küsse wider.

442 Titan = die Sonne.
443 Phoebe = die Mondgöttin.
445 Muschel-Töchter = Perlen.

Augustus.
  Du Venus unser Zeit / du Sonne diser Welt /
  Di mein verliebter Geist für seinen Abgott hält /
  August ergibt sich dir / er lägt di Lorber-Kräntze /   465
  Für deinen Myrten ab. Wi weit der Erden Gräntze /
  Des Mohnden Schatten mißt / solstu vergöttert stehn.
  Doch andrer Irrthum lehr't uns hier behuttsam gehn.
  Der grosse Caesar hat der Römer Haß empfunden /
  Anton Feind / Krig und Tod / weil si di Libes-Wunden /   470
  Eh als Cleopatren und ihrer Tugend Licht /
  Zu Rom an Tag gebracht. Das stoltze Rom glaub't nicht:
  Daß dieses braune Land so weisse Mohren hege;
  Noch; daß ein edler Geist hier eine Seele rege.
  Haß't also / was es doch hernachmals bethet an.   475
  Da nun nichts anders ihm den Argwohn nehmen kan /
  Noch unsern Untergang nebst ihrem Grimm verhütten;
  Als / da der Keiser wird Cleopatren erbitten:
  Daß si / O Sonne / gönnt Rom ihren Augen-schein /
  Hoft man: Es werd' August durch si so seelig sein: 480
  Daß si für ihren Nil di Tiber wird erwehlen /
  Umb dar Ihr Rom / di Welt / den Keiser zu vermählen.
Cleopatra. Mein Haupt / mein Fürst / mein Herr / wir
                    solln nach Rom hinzihn /
  Wo tausend Drachen Gift und Feuer auf uns sprühn?
  Verhaßter Gegenwart vermehrt des Hasses quällen: 485
  Ja unsre Tugend wird ihr Hertze nur vergällen /
  Das durch ihr Schlangen-Maul saugt Gift aus Lilg' und
                    Blum' /
  Und nur zu Lastern macht der Tugend edlen Ruhm /
  Sich für selbst-eigner Schmach und frembder Ehr'
                    erröthend.
Augustus.
  Des Basilisken Aug' ist nur von ferne tödtend;   490
  Von nahen Spigeln prellt des Gift-Wurms feurig Blick /
  Des Neiders schneidend Strahl ihm selbst zur Schmach
                    zurück.

Wi / wenn di güldne Sonn' aus Thetis Schooß aufstehet /
In der durchklärten Luft des Nebels Dampf vergehet:
So wird Haß / Feindschafft / Neid in Libe sein verklärt /   495
Da fern Egiptens Sonn' uns unsern Wunsch gewehrt /
Und Welschlands Himmel auch mit ihrer Hold bestrahlet.

C l e o p a t r a. Nein / nein! der Hochmuth wird mit Schimpff'
                      und Todt bezahlet;
Herr / da Cleopatra beim Keiser ichtwas gillt;
Da einger Funcken Gunst in seinen Adern quillt /   500
Da unsre Thräne kan des Keisers Hertz' erweichen /
Da unsre Seele nicht sol bald bestürtz't erbleichen /
Mein Fürst / so nöthig' er nicht aus Egipten mich.

A u g u s t u s.
Si stöst des Keisers Gunst / ihr eigen Glück' von sich.

C l e o p a t r a.
Wir wünschen eh den Geist als seine Gunst zu missen /   505
Doch laß' uns nur August noch diser Hold genüssen;
Daß: da der Wegzug nicht kan hintertriben sein /
Uns / di wir allen Heisch des Keisers gehen ein /
Vor frey-steh den Anton Egiptisch zu begraben.

A u g u s t u s.
Cleopatra sol hier zu thun zu lassen haben.   510

Der Schauplatz verändert sich in eine lustige Gegend am
Flusse Nilus.
Reyen Egiptischer Schäfer und Schäferinnen.

1. SATZ DER SCHÄFER.

Wie selig sind / di den Schmaragd der Auen /
Für der Paläste Gold erwehln!
Di nicht auf's Eiß der glatten Ehrsucht bauen /
Und sich mit eig'nen Lastern quäln!
Di in den Kummer-freien Wiesen /   515
Umb einen Kristallinen Fluß /
Di Hürden für den Thron erkiesen /

Ein frey Gemütte für Verdruß;
Di ausser schönen Schäferinnen /
Sonst keinen Ab-gott libgewinnen.   520

1. GEGEN-SATZ DER SCHÄFERINNEN.

Ja! seelig sind di reine Tugend lieben!
Di aller Heuchelei sind feind /
Wo reiner Schertz ohn Argwohn wird getrieben /
Wo man den schimpft / ders übel meint.
Auch libt der nicht / der todte Steine liebet /   525
Der sich nur zu erhöhn begehrt /
Durch falsche Gunst / di nicht Vergnügung giebet.
Di Seelen sind nur Liebens werth:
Nicht aber di geschmünckten Gaben /
Di keine Gegen-Liebe haben.   530

2. SATZ DER SCHÄFER.

Was ist das Blutt der Schnecke? Mörder-Farbe.
Der Thron? ein würmicht Seelen-Grab.
Des Zepters Glas krigt mehrmahls Brüch' und Narbe /
Denn unser leichter Hirten-Stab.
Wir dürffen Kelch und Ruhstatt nicht verstecken /   535
Wi / di auf Sammet furchtsam ruhn.
Ihr Nectar kan / wi unsre Milch nicht schmecken.
Man pflegt oft Gift dort nein zu thun.
Und wenn di Sonn' uns gönnt den Morgen /
So fühln wir Wollust / jene Sorgen.   540

2. GEGEN-SATZ DER SCHÄFFERINNEN.

Gönnt Wurmgespünst' und Bisam den Prinzessen:
Di Schönheit ist in Woll' auch schön:
Ziebeth-Koth wird beim Blumwerg leicht vergessen.
Laßt si für stählern Spigeln stehn /
Das Haar mit Staub di Haut mit Schminck' anfärben.   545
Ein Brunn dihn't uns zu allem dem.
Dort muß ihr Schmuck durch Milb' und Gift verterben;

Hier bleibt der Glantz stets angenehm.
Dort höret man mehr Schlangen zischen
In Zimmern / als hier in Gepüschen.   550

ZU-SATZ DER SCHÄFFER.

Di Liebe wird in Geilheit dort verkehret.
Dort solln di Wespen Binen sein /
Von denen nur das Honig wird verzehret /
Das di Natur uns pflantzet ein.
Ja man flößt Gifft durch diese Zucker-Röhren /   555
Hängt Fall-Beil' in das Schlafgemach.
Dem / den kein Dolch kan offentlich versehren /
Stellt man durch Gunst und Freundschaft nach:
Auß Gold-gestickten Purper-Betten /
Macht man Mord-Gruben / knecht'sche Ketten.   560

ZU-SATZ DER SCHÄFFERINNEN.

Der Nilus mahlt das Schau-Spiel schnöder Sachen /
An der Cleopatren uns ab.
Man räuchert ihr / und wil si knechtisch machen /
Miß-gönn't ihr Freiheit / Todt und Grab.
Verfluchte Gunst! da nur auf seichter Lippen /   565
Di Mißgeburth der Liebe schwimmt!
Fliht / Schäffer / fliht Siren' und Schifbruchs-Klippen.
Wo wahre Treu im Hertzen glimmt /
Verbrenn't auch nicht in Sarch und Hölen /
Das Libes-Oel verknipffter Seelen.   570

Di fünfte Abhandlung.

Der Schauplatz bildet ab di Königliche Todten-Gruft.
Cleopatra. Charmium. Iras. des Anton. Leiche auf einem
erhobenen Grabe.

Cleopatra.
Wer auf das leichte Rad des blinden Glückes trau't /
Auf seiner Tugend Grund nicht schlechte Thürme baut /
Di Fürsten diser Welt der Erde Götter nennet /
Wer viel weiß ausser sich / sich in sich selbst nicht kennet /
Wer sich auf's Zepters Glas / des Thrones Grund-Eiß
                  stützt;
Der komm' und lern' allhier / wi der so schwanckend
                  sitzt /
Der auf dem Gipffel steht. Der Ausbund aller Helden /
Anton / den Sud und Ost wird stets unsterblich melden /
Für dem Po Phrat und Nil oft auf den Knien lag /
Verfäll't nicht nur schlecht hin durch einen Donnerschlag:
Er kan hier kaum ein Grab durch unsre Bitt' erlangen.
Wol! laß't uns zum Ade den edlen Leib umbfangen!
Kommt / liebste Schwestern / kommt / bringt ihm durch
                  eure Hand
Ein Opffer wahrer Treu / ein letztes Liebes-Pfand.
Schränck't umb di Todten-Grufft di traurigen Zipressen /
Ja / daß di Würmer nicht di edlen Glider fressen /
So balsamet den Leib mit kräftgen Wässern ein /
Bringt Mirrhen / Aloe / geschärften Kräuter-Wein
Und frischen Ceder-Safft zu der erblasten Leiche.
Daß man mit kräft'ger Salb' ihm Schläff' und Haupt
                  bestreiche /
Steckt ewig-brennend Oel in güldnen Ampeln an.
Es werde Weyrauch stets auf frische Glutt gethan.
Bekräntzet mit Rubin und Lorbern Stirn' und Haare /
Legt Harnisch / Helm und Schild ihm auf di Todten-
                  Baare /

Bestreut mit Rosmarin den sanften Grabe-Stein /   25
Und grabt sein redend Lob in stumme Marmel ein:
„Hier lig't Egiptens Heil / di Freiheit Rom's
                    umbfangen.
„Denn beider Wolfahrt ist mit dem Anton vergangen.
Wolan! di letzte Pflicht ist nun / Gott lob / vollbracht.
Nimm hin den letzten Kuß! mein Hertze gutte Nacht!   30
Es ist vollbracht! doch ach! was ist noch zu vollbringen?
Cleopatra sol itzt nun auch groß-müttig ringen /
Cleopatra sol itzt noch einmal durch den Tod
Sich dem Anton vermähln / entflihn der grimmen Noth /
Di ob dem Haupte schweb't / ja durch ihr Blutt
                    entdecken: 35
Daß knecht'sche Geister nicht in disen Adern stecken.
I r a s. Auf was Verzweifelung / erlauchte Königin /
Auf was für Strudel treibt der Schmertz si wider hin?
Wil sie denn dem Anton sich selbst zum Opffer geben?
Ihr Todt bring't uns in Sarch; den Todten nicht in's
                    Leben.   40
C h a r m i u m.
Cleopatra / mein Haupt. Si schätze tummen Ruhm /
Und eigen-händgen Todt nicht für ein Heiligthum.
Ein Knecht läßt leicht sein Blutt auf's Herren Holtzstoß
                    rinnen /
Umb: daß er einmal kan der Sklaverei entrinnen:
Was aber treibt hirzu di freien Seelen an?   45
Das gantze Schiff versinckt mit einem Steuer-Mann /
Das grosse Reich durch Si.
C l e o p a t r a.   Ach klein-muths-volle Hertzen!
Ihr wißt den Ursprung nicht so ungeheurer Schmertzen.
I r a s. Di trüben Wolcken sind des Jammers ja vorbei.
Man spürt wi günstig ihr der milde Keiser sei;   50
Wi er Cleopatren als eine Göttin ehre /
Nicht unsrer Götter Recht / nicht unsre Stadt versehre.
Dis alles wol nicht uns zu libe; nein / nur ihr.
Kurtz: Er zeucht allbereit der Livien sie für.

Cleopatra.

    Einfält'ger Aberwitz! dis sind di güldnen Schlingen /
    Durch welche man den Feind muß in den Kesicht bringen.
    Der Himmel der uns libt / hat uns zu Trost entdeckt:
    Welch einen Fall-Strick uns Augustus hat gesteckt.

Charmium.

    Hilf Himmel! hört es denn nun nimmer auf zuwettern?

Cleopatra.

    Ja / das verfluchte Rom pflegt diese zuvergöttern /
    Di es mit Schimpf und Schmach in Abgrund stürtzen wil.
    Verdammter Rache Lust! vermaledeites Spiel!
    August hat Marck und Bein und Blutt uns ausgesogen /
    Den väterlichen Thron durch schlimmes Recht entzogen /
    Des Ptolomaeus Schatz durch Schelm-Stück an sich
                               bracht /
    Doch ruht sein Ehrgeitz nicht. Er ist nun auch bedacht /
    Nach Rom ins Sigs-Gepräng zum Schau-Spiel uns
                                zuführen.
    Dis ist es / was wir nur noch haben zuverlihren.
    Doch nein! di Angel fehlt di ob dem Wirbel schwebt.
    Ein Fürst stirbt muttig / der sein Reich nicht überlebt.
    Es ist ein täglich Todt / kein grimmer Ach auf Erden /
    Als wenn / der / der geherrscht sol andern dinstbar
                               werden.

Iras.

    Prinzeß / vielleicht rührt nur ihr Kummer aus Verdacht.

Cleopatra.

    Verdacht ja mehr denn viel! gebt auf di Thaten acht /
    Ob er als unser Freind und Schutzherr hier gebahre?
    Ob sein Bedienungs-Schein nicht Sklavisch uns verwahre?
    Ob man uns aus der Burg di Ausfarth nicht verwehrt?
    Di Stadt als Feind besätzt / das Schatz- und Rüst-Haus
                               leert?
    Das Heer in Dinste zeucht / di Bürger ihm vereydet;
    Auf einen Augenblick uns Macht und Treu' abschneidet?
    So schöne Früchte trägt uns sein versprechen ein.

Zu dem / wem wolte nicht auch höchst verdächtig sein?
Daß unser Todt-Feind sich so bald verlibt anstellet.
Wenn di kohl-schwartze Luft sich unversehns erhellet /
Gebihrt di schwangre Nacht der Wolcken Blitz und Keil: 85
So ist dem Keiser nur sein Liebes-Kosen feil /
Umb unsern Untergang. Di sich zu sehr verbinden /
Di lassen selten Treu und Wahrheit bei sich finden.
Man lobt uns ja den Traum der Ehren-Seulen ein /
Di / wi man schwermmt / zu Rom uns solln gewidmet
                              sein / 90
Doch stehn si schwerlich sonst wo / als aufs Keisers
                             Zungen.
Wir werden nicht nach Rom geladen / nein gezwungen:
Da Ehr’ und Liebe doch nichts nicht zu zwingen pflegt.
Ja / was wird dis und das hier so genau erwegt?
Hier läs’t des Keisers Brieff / den wir für wenig Stunden / 95
Im Zimmer deß Anton zur Nachricht haben funden.

Charmium.

Gerechte Götter! wird nicht bald durch Blitz verzehrt /
Ein solch zwei-züngicht Mund / ein solch zwei-schneidend
                             Schwerdt?
August hiß sie di Faust ins Libsten Blutte röthen /
Hier wil er: daß Anton Cleopatren sol tödten: 100
Sagt auch noch beiden Heil für Mord- und Todschlag zu.

Cleopatra.

Nun urtheilt: ob man dem August wol unrecht thu;
Wenn wir uns wenig gutt’s aus seinen Wercken schlüssen?
Wi? oder wollet ihr mehr Grund und Zeugnüs wissen?
Schaut / bitt ich / schaut / nemmt hin des Dolabellen
                             Hand / 105
Di diser redlichste der Römer uns gesandt.

Charmium.

Was gibt di treue Faust uns heimlich zu verstehen?

Iras. Dis: daß August nach Rom durch Sirien wil gehen:
Und daß das Orlog-Schiff schon Segelfertig steh /
Das auch mit Widerwilln Cleopatren zur See 110

Sol nach Cajeta führn: bis si in Band und Strikken /
Wenn Caesar ein wird zihn sein Sigs-Fest helffe
schmücken.

Charmium.

Ihr blinden Sterblichen / fall't nun der Meinung bei:
Daß es ein schlipfrich Ding umb frembde Gnade sei!
Daß der nicht weißlich thut der Worte sich läst bländen / 115
Weil er ein Glied noch regt / das Heft gibt aus den
Händen.

Cleopatra.

Einfältge Charmium! nach schon geschehner That /
Lehrt oft der Ausschlag viel / was kein verschmitzter Rath
Vermag vorher zu sehn. Auch ist nicht zu vermeiden /
Was di Geburts-Gestirn und Götter uns bescheiden.   120
Zu dem ist unsre Schuld geringer als di Pein?
Wir schenckten dem Anton nicht süß're Wermuth ein.
Was weigern wir uns denn selbst-eignes Gift zu trincken?
Auf! wir sehn den Anton schon unser Seele wincken!
Auf! auf Cleopatra! Gebrauche Gift und Schwerd.   125
Gold wird durch Glutt / ein Geist durch Glück' und Todt
bewehr't.

Iras. Ihr grimmen Götter ihr! was ehrt man eure Bilder?
Was opffert man euch viel? wenn kein Gebeth euch
milder /
Kein' Andacht sanfter macht? wenn ihr dem Sieg verleiht /
Der eure Tempel schimpft / der eu'r Altär' entweiht.   130

Cleopatra.

Es ist itzt auser Zeit den Feind und Göttern fluchen.
Last uns si nun vielmehr umb Gnad' und Hülff' ansuchen.
Di einer Sterbenden den Tod noch leidlich macht.
Ja wol! es werd' uns Zeug zum schreiben hergebracht.
Wünscht ihr di letzte Schrifft an den August zu lesen?   135

Charmium.

„Herr / nunmehr ist nebst dir Cleopatra genesen /
„Du hast mein Reich / mein Geist der Freiheit Thron
erreicht /

„Nun knecht'sche Lebens-Lust / der güldnen Baare weicht.
Doch hat di Sterbende dich noch umb was zu bitten:
Es werd' uns beim Anton zu ruhen nicht verschnitten.   140
„Man gönnt leibeigner Schaar'; auch Würmern Erd' und
Sand.
„Schärfft denn auf unser Blutt und Kinder seine Hand /
„Nicht den blutt-fetten Stahl / verschont er si der Ketten;
„So wird August mit Ruhm Egiptens Stuhl betretten /
„So wird sein Stamm und Haus stets blüh'n und sighaft
sein: 145
„Doch schleust der Sarch auch nicht Cleopatren gantz ein.
C l e o p a t r a. Ihr hört den jüngsten Wunsch. Reicht her ihn
zuverschlissen;
Stellt den dem Hauptman zu / der ihn bereit wird
wissen /
Dem Keiser zuzustelln.
I r a s.   Hilf Himmel! Gib nicht zu:
Daß unser Hertz und Haupt vor uns im Grabe ruh.   150
Wenn alle Glider todt / siht man das Hertz erst sterben /
Auf Charmium! laß uns hier sterbend Ruhm erwerben!
C l e o p a t r a.
Vertrautste / nein ihr irrt. Da ihr uns redlich libt /
Da ihr uns hertzlich meint / bestürtzte / so verschibt
Das euch noch ferne Ziel; euch und auch uns [zu] gutte.   155
Wenn man di Hand bespritzt mit hoher Häupter Blutte /
Schläft man mit linder Hand di untern Glider ein.
Westhalben solt' auf euch Augustus grimmig sein?
Ja / da ihr euch so weit di Kleinmuth last verleiten /
Wer wird uns Gruft und Sarch nach Würden zubereiten?   160
Glaubt / wer für Schmertzen stirbt / libt so di Todte
nicht /
Als der der Sterbenden den letzten Dienst verricht!
C h a r m i u m.
Ist denn kein Mittel nicht zuflihn Tod und Banden?
C l e o p a t r a. Der Schluß bleibt fest. Hier ist di Artznei
schon verhanden?

C h a r m i u m.

Worzu hat si hieher den Feigen-Korb versteckt?   165

C l e o p a t r a.

Der uns miß-gönnte Todt wird durch dis Laub verdeckt.
Schaut ihr di gelbe Schlang' an diesem Honig saugen?
Schaut wi ihr Schwantz hier spielt / wie flammen ihr di
Augen?
Si schärff't auf unsern Arm schon Zunge Gift und Zahn.

I r a s.

Mein Geist erschüttert sich! Ist dis di sanfte Bahn /   170
Zum Sterben durch den Wurm? durch ein solch
Ungeheuer?

C l e o p a t r a.

Der Schlange brennend Gift ist kein solch' rasend Feuer /
Als Caesars Ehren-sucht. Man sucht bei Nattern Rath;
Bei Drachen; wenn man nicht bei Menschen zuflucht hat.

C h a r m i u m.

Ihr Götter! sol der Molch den Lilgen-Arm vergiften.   175

C l e o p a t r a.

Ja! unsrer hohen Seel des Cörpers Pforten lüfften.
Komm' angenehmes Thier! komm kom[m] und flechte dich /
Umb diesen nackten Arm! vermähle durch den Stich /
Der Adern warmem Quell dein züngelnd-tödtend küssen.
Wi? wilstu nur dein Maul durch Feigen-Safft versüssen?   180
Ist unsre Marmel-Haut nicht Stich und Giftes wehrt /
Das di Verdammten oft eh' als ein Blitz verzehrt?
Sol mir zur Straff' itzt auch den Schlangen Gift gebrechen?
Stich! stich! wir sind gewehrt. Nun fühln wir Gift und
stechen.
Kommt / Liebste / nemmt von uns den letzten Kuß noch
an.   185
Wir beben / wir erstarr'n / es ist umb uns gethan.

C h a r m i u m. Erbebend Donner-schlag! Der Marck und
Bein durchfähret!
Das Hertz in kaltes Eiß / das Aug' in Stein verkehret:
Daß das gefrohrne Blutt der Adern Brunn verschützt /

Und di erstarrte Thrän' im eignen Quell' ersitzt! 190
Wo fällt di Göttin hin? der Abgott unsrer Seele?
Sinck't ihr Karfunckel-Schein der Augen in di Höle?
Umb: daß er Sonn' und Lieb' alldar erwecken mag?
Wil ihrer Glider Schnee di Nacht verkehr'n in Tag?
Wil ihr benelckter Mund im Grabe Blumen sämen? 195
Des Abgrunds finstre Kluft ein Paradis beschämen?
So geh't Egipten-Land der Ost-Welt Lust-Haus ein /
Und dessen Himmel wird itzt eine Helle sein!

I r a s.

Ja mehr als eine Hell / mehr / als ein Nest der Tiger!
Was starrn / was zittern wir? wolln wir dem grimmen
                                        Siger / 200
In Schwerd und Klauen falln? schau' unsre Fürstin an!
Di lehr't uns / wi man Feind und Fässel pochen kan.
Hat nicht di Königin di Bahn uns schon gebrochen?
Und durch den kurtzen Todt unsterblich Lob versprochen?
Da uns sonst nichts als Schimpf und Marter ist bestellt / 205
Da ein' itzt unter uns ins Keisers Hände fällt.
Zu dem laß uns den Feind uns noch das Leben lassen;
Wi bald wird ohne dis nicht dieser Leib erblassen?
Sol nun des Lebens-Spann' uns di Geburt entzihn
Des Nachruhms / der mit uns kan tausend Jahre blüh'n? 210
Nein / trautste Charmium! wer rühmlich nach wil setzen /
Muß nicht di Haut zu zart / das Blutt zu theuer schätzen.
Es bringet schlechten Ruhm verdienen durch viel
                                        Schweiß /
Dis / was ein Tro[p]ffen Blutt stracks zu erwerben weiß.
Di Ewigkeit / di wir durch keine treue Dienste 215
Bis auf den Tag erlangt / krig't Iras zum gewienste /
Wenn si ihr sterbend nur gleich als zur Ader läßt.
Wird / ohne diese That wer Charmium gewest /
Wo Iras hat gelebt / di Nachwelt ichtwas wissen?
Auf Schwester! es muß auch uns Glider dis verschlissen / 220
Was unser Haupt verschleust; dis stechen / was si stach.
Es sticht. Ich sterbe! folg' auch also rühmlich nach.

C h a r m i u m. Solch sterben bringet Ruhm / dis Leben
        Schmach und Bürde /
  Sol / di di erst an Treu di ander war an Würde /
  Hier / nun durch Todt und Blutt man umb den Sigs-
         Krantz kämpft /   22
  Di letzt am Reyen sein? di Flamme wird gedämpft /
  Durch Rauch; der Tugend-Glantz durch Thränen-
        schwangre Wehmuth.
  Wir haben ohne dis durch all zu tieffe Dehmuth /
  Durch di man hat den Feind das Unthier zähmen wolln /
  Viel unsers Ruhm's verspielt / den wir itzt hertzhaft solln 23
  Ersetzen durch den Todt. Jedoch für allen dingen /
  Laßt uns Cleopatrens ertheilten heisch vollbringen:
  Und ihrer Leiche thun di letzte Todten-Pflicht.
  Da nun das Werck so sehr an viel Gepränge nicht /
  Als in der Hold beruht / wil ich zum Liebes-Zeichen / 23
  Der Todten zum Ade di Hand-voll Blumen reichen.
  Denn weil uns Glück und Zeit mehr Mittel nicht verleihn /
  Muß meiner Thränen Saltz in-des der Balsam sein.
  Mein sterbend Augen-Licht zur Todten-Fackel dienen.
  Nur muttig! Charmium / nun ist der Tag erschienen / 24
  Da man Feind / Noth und Todt großmüttig pochen kan.
  Auf! sätze Stahl und Dolch behertzt den Brüsten an!

Des Antonius / der Cleopatra, der Iras todte Leichen.
Cornel. Gallus. Etliche Hauptleuthe des Keisers. Charmium.

G a l l u s. Halt Stahl und Stos zu rück!
C h a r m i u m.   Ihr seit zu späte kommen:
  Schaut: wie das Blutt schon spritzt!
G a l l u s.   Was habt ihr vorgenommen?
  Welch rasen ficht euch an? daß ihr Gift / Mord und
          Schwerdt /   2
  Da euch der Feind doch schon't / auf eure Glider
         kehrt?

Charmium. Gift / Mord und Schwerd sind uns
erleidlicher / als Ketten.

Gallus. Als Ketten? auch der Todt sol euch vom Schimpf
nicht retten.

Ihr selbst befleckt di Seel' / ihr selbst verstellt den Leib.

Ist dieser bluttge Wurm / dis ungeheure Weib / 250

Di schöne Charmium?

Charmium.   Ja! schöner als ihr meinet;

In dem itzt unser Ruhm schon nebst den Sternen scheinet.

Weil di standhaffte Treu' auch in der Grufft besteht.

Gallus.

Schaut! wie der Wurm sich krümmt! si rechelt / si vergeht.

Di vier Leichen. Augustus. Proculejus. C. Gallus. Arius. die
Trabanten. zwei Psylli.

Augustus.

Was macht si? lebt si noch? ach! ist si schon verblichen? 255

Ist ihr bestürtzter Geist schon aus der Welt entwichen?

Eilt! rettet! lauft lauft! eilt! bringt Stärckungs-Säft
herbey /

Fühl't / ob der Puls noch schlägt / und wo di Wunde sey.

Gallus.

Herr / es ist weder Puls noch Wund' an ihr zuspüren.

Augustus.

Es kan der Unfall doch / nicht von der Luft herrühren. 260

Durchforscht den kalten Leib von Gliede bis zum Glied.

Proculejus. Sucht / ob man weder Dolch / noch Gift /
noch Messer sih't /

Augustus.

Entblößet Arm und Brust an der erblasten Leichen.

Gallus.

Man siht am Arme zwar zwei kleine Feuer-Zeichen /

Doch zeucht so schlechter Fleck wol nicht den Todt nach
sich. 265

A r i u s. Ach Leider! zu gewis. Es ist ein Schlangen-Stich.
A u g u s t u s.
  Bringt Schlangen-Pulver her / bringt Scorpionen-Oele /
  Ist Bezoar nicht dar?
A r i u s.   Der Keiser der erwähle /
  Di Aegeln alles Gifts di Psyller zur Artznei.
A u g u s t u s.
  Laufft / rettet / bringt alsbald di ersten uns herbei.   270
P r o c u l e j u s.
  Legt ihr von Mithridat ein Pflaster auf das Hertze /
  Eh' ihr ohnmächtger Geist gar aus dem Leibe stertze.
A u g u s t u s.
  Nam di verdammte Wach' ihr also fleissig war?
A r i u s. Da fern ein Leben nur im Hertzen noch ist dar /
  Wird durch der Psyller Hülff' unfehlbar Rath gefunden. 275
P r o c u l e j u s.
  Wol! si sind dar.
A u g u s t u s.   Stracks saugt das Gift ihr aus den Wunden.
G a l l u s. Schaut / welch ein grüner Jescht sich für dem
                         Munde setzt /
  Welch kalter Todten-Schweiß di Stirn' und Schläffe nätzt.
  Wi schwillt der Arm / da si di Schlang hat hingestochen.
A r i u s.
  Es scheint: ob wehren ihr di Augen schon gebrochen. 280
A u g u s t u s.
  Spart Kunst und Arbeit nicht für einen reichen Lohn.
  Da ihr ihr helffen könnt ist Gold und Freiheit schon /
  Euch reichlich ausgesätzt.
P s y l l e r.   Herr / es ist nur vergebens.
  Ihr todter Leib hat mehr kein Funcklein eines Lebens.
  Das schnelle Gifft hat stracks ihr zartes Hertz ersteckt / 285
  So bald der Schlangen-Zahn das warme Blutt befleckt.
A u g u s t u s.
  Ihr Götter / di ihr uns mit so viel Lorbern schmücket /
  Di ihr das grosse Rom mit so viel Sieg anblicket /
  Di ihr der Feinde Stahl als schwirrend Glas erschellt /

Di ihr den Phrat und Nil weit nach der Tiber stellt /   290
Warumb wolt ihr nicht auch uns diesen Ruhm noch
                    gönnen:
Daß wir dis Weib nach Rom zum Schauspiel führen
                    können?
Ja unser halber Sieg / der Römer gantzer Trost /
Fällt itzt ins Wasser hin! Welch Wurm ist so erboost /
Welch Panther so ergrimmt: daß er di eignen Klauen /   295
Eh er sich fässeln läßt / pflägt in sein Fleisch zu hauen?
Welch Grimm / Cleopatra / welch wütten kam dich an?
Daß du so mördrisch dir / uns hast so weh gethan?
Solln itzt di Leichen uns nur unser Sigs-Fest zieren?
Last uns gleich aus Metall ihr güldnes-Bild auf-führen: 300
Di todten Bilder sind kein überwunden Feind /
Di nur der Rache Lust umbsonst zuschimpffen meint.
Jedoch / was sinnen wir auf Schimpf der edlen Frauen /
Di wir auch itzt schon todt verwundernd müssen schauen?
Es zeuget ihr Magnet der Schönheit itzt noch an: 305
Daß Caesar härter nicht als folgend Stahl sein kan /
Das Marc-Anton hier hat gezwungen scheitern müssen.
Des Mohnden Circkel kan den Helden-Geist nicht
                    schlüssen:
Der frembder Fässel Schmach durch eignes Blutt abnetzt /
Und einer Spanne Ruhm für tausend Jahre sätzt.   310
Was wil Augustus denn di Ruhms-entseelten Glider
Auf's Schau-Gerüste stelln? Rom werffe ja darnider /
Ihr Bild aus Ertzt und Stein und glattem Helffen-Bein:
Cleopatra wird stehn / wenn Rom nicht Rom wird sein.
Vielmehr laßt uns itzt selbst ihr Bild stelln Rom für
                    Augen /   315
So / wi di Schlangen ihr di edle Seel' aussaugen;
Wi ihr behertzter Todt des Lebens Fleck' abwäscht /
Und ihr verspritztes Blutt der Römer Zorn-Glutt läscht.
Daß Proculei als bald des Lägers Häupter lehre;
Daß es kein Bildnüs nicht Cleopatrens versehre: 320
Man laß' ihr Heiligthum der Sonnen-Pfeiler stehn /

Di Ehren-Pforten nicht vorsätzlich untergehn;
Und Gallus / der den Nil zur Land-Vogtey sol haben /
Sol si / nebst dem Anton aufs prächtigste begraben.
Auch / weil dis Paar durch Treu und Sterben Ruhm leg't
ein /
Solln si nichts minder wol nebst ihr beerdigt sein.
Damit was neues auch zu Rom gesehen werde /
Schiff't auf di Kriges-Flott' Egiptens Wasser-Pferde /
Nebst Nilus Ochsen ein. Man theile Beuth und Geld.
Di helffte werd' alsbald dem Heere zugestellt /
Di ander ist bestimmt zu den gemeinen Schätzen /
Durch das vertheilte Korn wolln wir das Volck ergätzen.
Augustus ist vergnügt wenn ihm der Ruhm verbleibt:
Daß er dem grossen Rom Egipten einverleibt.

Augustus. Archibius. Corn. Gallus. Arius. des Antillus
Leiche. Etliche Hauptleuthe. Di Trabanten.

A r c h i b i u s. Mord! Mord! großmächt'ger Fürst / dis was
auch Mörder schützet /
Altär' und Tempel sind mit Fürsten-Blutt bespritzet:
Der Völcker heilges Recht ist durch di That verletz't /
In dem Antillus Blutt der Römer Schwerdter netzt.
A u g u s t u s. Wi / wo / wenn / und von wem ist dieser
Mord begangen?
A r c h i b i u s.
Es hatte kaum di Stadt di rauhe Post empfangen:
Daß durch Cleopatren ihr Haupt gefallen sei /
Reis't der Soldaten Schaar Gesätz' und Bund entzwei /
Fängt Stadt und Bürger an gewaltsam anzugreiffen /
Di Säulen des Anton durch Stock und Stein zu schleiffen /
Zu forschen auf sein Blutt / ihm Schwerd und Todt
zudräun:
Wo sol Antillus hin der Noth sich zu befreyn?
Man siht den jungen Held in Isis Tempel flihen /

Und / als di wüttenden vergebens sich bemühen /
An ihm den Muth zu kühln / da springt der Theodor /
O schwartzer Meuchel-Mord! sein Lehrer selbst hervor; 350
Entdeckt der grimmen Schaar verräthrisch seinen
                    Fürsten.
Da hemmt kein Heiligthumb di / di nach Blutte dürsten /
Si dringen mit Gewalt nebst dem Verräther ein /
Gleich / must' er und sein Blutt der Götter Opffer sein.
Antillus / als er sich umbringt siht und bestritten / 355
Umbfängt des Caesars Bild und rufft: Schont euer
                    wütten
Nicht fürstlichen Geblüts; so schont der Götter doch.
Umbsonst! di Bitt' erhitzt / erhebt di Mörder noch.
Man siht den edlen Leib mit Schwerd und Dolch
                    zerkerben /
Das Königliche Blutt das heil'ge Schutz-Bild färben; 360
Ja Theodor reisst ihm den kostbarn Demant ab /
Für den Cleopatra viel Centner Goldes gab.
A u g u s t u s.
Hat dis verdammte Volck den Greuel vorgenommen?
A r c h i b i u s.
Er wird Antillus Leich' hier bald zuschaun bekommen:
Di ich durch vieles Geld der Mord-schaar kaum entrieß / 365
Di sich noch ärgern Schimpff's auf ihn verlauten ließ.
Hier kommt si / schaut: wi si mit ihm gebahret haben.
A u g u s t u s.
Man wird nichts weniger nach Würden ihn begraben.
Stracks / Hauptmann / forsch't ob man di Thäter finden
                    kan /
Eilt / last den Theodor an's Creutze nageln an; 370
Geht selbst / umb desto eh di Mörder zu erfahren.
Ihr aber laßt den Orth aufs fleißigste verwahren /
Wo der Cleopatra verweißte Kinder sind;
Verschaffet: daß das Heer nichts feindliches beginnt.
Was aber hat August aus diesem ihm zuschlissen / 375
Umb: daß Caesarion ist heimlich ausgerissen?

Was reitzt ihn: daß er scheut des Keisers Gnad und Licht?
Dem / der sich uns nicht traut / dem trau'n wir gleichfals
nicht.

Arius.

Den blauen Himmel mahlt mehr nicht als eine Sonne;
So muß ein Keyser sein der Erden Haupt und Wonne.   3

Augustus.

Wol! wo Regier-sucht ist gewurtzelt einmal ein /
Da muß mit Strumpf und Stiel der Stamm vertilget sein.
Er rühmt sich des Anton Gefährten / Caesars Erben /
Was wird nun rathsam sein?

Arius.   Caesarion muß sterben.

Augustus. Recht! stell't an Gräntz und Port dem falschen
Keiser nach.   3

Sein Todt verleih't uns Ruh / sein Leben Ungemach.
Ist nun das grosse Reich / das di Vernunfft muß stützen /
Daß ein groß Geist beseeln / viel Hände müssen schützen /
Mit allem wol versehn? So laß't uns unsre Stadt /
Di unsre Gegenwart fürlängst gewünschet hat /   39
Durch Beuth' und Sieg erfreu'n / und nach dem
Bluttvergissen /
Nach Krig- und Bürger-Pest des Janus Tempel schlüssen.
Jedoch / weil wir uns gleich itzt in der Grufft hier schau'n /
Wo Alexander ihm ließ sein Begräbnüs bau'n /
Last uns den / dem sich Glück und Tugend stets vermählet 39
Dem eine neue Welt zu zwingen hat gefehlet /
Den / dessen grossen Geist der Erden-Kreiß nicht schlooß
Im engen Sarche sehn. Macht Ertzt und Rügel loß.
Hier ligt der grosse Held / von dem August muß lernen:
Der Leib vergeh' in Asch / der Geist steig' an di Sternen / 40
Für dessen todtem Bild' (O edle Tugends-Art!)
Des Caesars Geist beseelt; das Antlitz schamroth ward /
Di Seele Seufzer ließ. So müß' auch diesem Leben /
Sein ihn vergötternd Ruhm uns Flamm und Flügel
geben
Zu gleicher Ehren-höh'. In-des / dafern dein Glantz   40

Nicht unsern Dinst außschlägt / nimm diesen Lorber-
Krantz /
Den nicht der Zeiten Sturm der Nachwelt Blitz wird
tilgen /
Und dieser Krone Gold nebst dieser handvoll Lilgen /
Zum Denckmals-Opffer an.

A r i u s.   Wil nicht auch Fürst August
Di Ptolomeer sehn.

A u g u s t u s.   Wir hatten hier nur Lust /   410
Den König zu beehrn. Di solln den Dinst nicht haben /
Mit derer Körper Geist und Nachruhm ward begraben.

Reyen
Der Tiber / des Nilus / der Donau / des Rheins.

T y b e r.
    Legt nun der Nil di stoltzen Wellen nider?
    Und betet er di Tiber an?
    Schaut: wi / was dem Verhängnüß ist zu wider /   415
    So seicht' und mirbe wurtzeln kan!
    Ob gleich mein Strom nicht tausend Flüß' einschlingt /
    Mein Sand nicht Gold / mein Schaum nicht Perlen führet /
    Mein Fuß Corall; mein Schilf nicht Zucker bringt;
    Ob meine Schooß gleich nicht Rubin gebühret: 420
    So lehret Rom doch: daß ich bin
    Des Meeres Haupt / der Flüsse Königin.
    Der Tiger und Eufrat sind für mir sanfft' und klein /
    Und bücken sich für meiner Römer Füssen /
    Pactol und Tagus muß beim Reichthumm dürftig sein /   425
    Weil beide mir den Gold-Sand zinsen müssen.
    Daß Gangens Jäscht mit Diamanten strahlt /
    Der kalte Nord mit schimmernden Kristallen;
    Das grüne Meer sich bräunet mit Corallen /
    Des Indus Silber-Flutt sich mit Schmaragden mahlt;   430
    Ist ihre Frucht / doch mein Gewinst /

In dem sie wie di Zucker-Bienen /
Zwar Honig sammlen / doch nicht ihnen.
Di edlen Steine stehn der Tiber nur zu Dienst';
Umb meiner Nimfen Hals und Hand /   43
Und mein belorbert Haupt zu decken /
Di Tyrer-See heckt braune Purper-Schnecken /
Umb nur zu färben an mein Keiserlich Gewand;
Was weigerstu dich denn / O Nil /
Nun Rhodan / Tiger / Phrat und Rhein mir opffern
                                          müssen /   44
Nach dem es selbst der Himmel wil /
Daß du nicht Rom und mir wilst Fuß und Zepter küssen?
Der Nilus.
    Wenn Titan steig't aus Thetis blauem Reiche /
Und uns läßt Licht und Tag aufgehn /
Erblassen ja di Sternen nicht zugleiche;   44
Di grössern bleiben länger stehn.
So / als auch Rom und sein geweyhter Fluß /
Sein güldnes Haupt den Sternen hat verschwistert /
Siht man: daß erst / was klein ist / schwinden muß   45
Als der gestirn't Eridan wird verdüstert.
Bis nach dem Tiger und Eufrat /
Des Nilus Glantz auch sein Begräbnüs hat.
Jedoch verfinstert mich so sehr nicht Rom und du /
Als des Verhängnüsses gesetzter Schrancken /
Der Himmel selbst trägt Glutt zu meinem Holtzstoß zu: 45
Für dem der Thron der Götter selbst muß wancken.
Drang nicht mein Haupt sich bis zun Sternen ein /
Und über der Pyramiden Gefülde?
Es räucherte der Mohre meinem Bilde /
Gab meinem Tempel ab Gold / Weirauch / Helffenbein.   46
Di Ost-Welt bettelte von mir
Den Weitzen / den Egipten bringet /
Wenn mein aufschwellend Strom es tinget /
So bald der Welt ihr Aug' in Löwen tritt herfür.
Allein' ob meiner Thürme Pracht /   46

Zwar keinen Sonnen-Schatten zeuget /
Noch Dunst und Wolck' aus meinem Strome steiget;
So schaut doch / wie der Neid mich so sehr schatticht
                  macht /
Wie mich di Unglücks-Wolck' umbhüllt /
Wie mich des Keisers Blitz fast gar in Abgrund schläget.   470
Gedult! wenn es nicht pochens gilt.
Schau! wie der grosse Nil sich für der Tiber läget.

Di Donau und der Rhein.

  Nun alle ja zu Sklaven sind gebohren /
Was solstu Donau thun? und Rhein?
Nein! nein! Rom / das hier oft den Muth verlohren /   475
Wird noch viel Adler bissen ein.
Daß Phrat und Nil der stoltzen Tiber weicht /
So wie sie vor auch Alexandern wichen /
Bewegt' uns nicht: daß man sich ihnen gleicht.
Wir haben auch di Seegel nicht gestrichen /   480
Als dieser grosse Blitz der Welt /
Der Erden-Kreiß hat in sein Joch gestell't.
Nein! stoltzes Rom! wir schaun schon jene Zeit angehn /
Da uns wird ehrn nicht nur ein Kreiß der Erden.
Es wird dis unser Mooß voll Diamanten stehn /   485
Das grüne Schilff zu Lorber-Zweigen werden.
Wir sehen schon di Sonnen unsrer Flutt /
Den Helden-Stamm in Oester-Reich entspringen /
Dem nicht nur Rom und Tiber Opffer bringen /
Den Leopold / der dem August es gleiche thut.   490
Di itz'ge Welt ist ihm zuklein /
Es wird noch eine Welt entstehen /
Ihm wird di Sonn nicht untergehen /
Und Thule wird nicht mehr der Erde Gräntzstein sein.
Dis was Columb und Magellan   495
Der andre Tiphys wird entdecken /

Wie ferne sich zwei Indien erstrecken /
Wird unsers Caesars Haus fußfällig beten an.
Wir sehen schon sein siegend Schwerdt /
Den Adler für dem Mohnd am Nil und Bospher gläntzen. 500
Kommt / Schwestern / schätzt ihr Tugend wehrt /
Helfft sein gekröntes Haupt mit Palm- und Lorbern
kräntzen.

Δ. T. Θ.

Anmerckung.

Zu der ersten Abhandlung.

Ob zwar nicht ohne / geneigter Leser / daß über seine eigene
Arbeit Bedeutungen schreiben / und über seine Sprache
einen Dolmetscher abgeben etlichen mißfällig ist: so bin ich
doch der zuverläßigen Meinung: daß der / so dis zuweilen
thue / besonders in derogleichen Schreibens-Art / keine
Ketzerey einführe. Dannenhero ich auch entschuldigt zu sein
vermeine: daß ich dieser Cleopatra wenige Anmerckungen
beygefügt. Denn obzwar diese nicht etwan einige heilige
Heimligkeiten eröffnen / so entwerffen sie doch meisten-
theils dis etwas deutlicher / was hin und wider kurtz in
denen Geschichten berühret / oder verweisen ja den Leser zu
ferner Nachricht: In dem sich doch nicht allezeit thun läst /
denen Wechsel-Reden lange Erzehlungen weitläuftiger Geschichte einzuverleiben; insonderheit / da wir Deutschen
ohne dis wegen unserer zugemässenen weitläuftigkeit denen
stachlichten Außländern ein Dorn in Augen zu sein pfle-
gen. Von welcher sich auch der fürtreffliche Marino in
seines Adonis zehndem Liede in der 165sten Achtinne
nicht enthalten können / da er unter dem Nahmen des
Mercurius unsre Schriften in gemein zimlich hönisch durch-
zeucht:

> Che di Poemi in quella lingva cresca,
> Numerosa farragine e di Rime,
> La facil troppo Invention Tedesca
> N'è cagion, che per prezzo il tutto imprime.

Ich / der ich auch der Außländer / besonders dises Marino
Sachen hoch achte / lasse mich deßhalben allhier in keine
weitläuftige Vertheidigung ein; jedoch lebe ich der Versiche-
rung: daß / wie Deutschland / welches di alten Römer
wegen seiner grausamen Einöden / und ungüttigen Himmels
nicht genung tadeln können / anitzo ihnen viel annehmlicher
vorkommen würde: allso auch zweifels frey anitzo frembde
ein und anders an den Deutschen würden loben / oder wol

lernen können. Uber dis ist di fürnemste Ursache dieser
Erklärung diese: daß ich wol weiß: es werden derogleichen
Schrifften nicht alleine Gelehrten / sondern auch denen / so
der Römischen Geschichte so genaue Wissenschafft nicht
haben / unter di Hände kommen / und dannenhero ein und
di ander Erinnerung weder vor undienlich noch scheltens-
würdig schätzen.

v. 46. *Und Knecht-sein für Gewien.* Die Römischen Geschicht-Schreiber können nicht genungsam beschreiben / wie
bey Veränderung des Regiments zu Rom / sich di Römer so
Sklavisch erzeiget haben. Woher gehöret / was Tacitus lib.
1. Annal. cap. 2. eben von des Keysers Augustus Zeit meldet: Cum ferocissimi per acies aut proscriptione cecidissent:
caeteri Nobilium, quanto quis servitio promtior, opibus
& honoribus extollerentur: ac novis ex rebus aucti tuta
& praesentia, quam vetera & periculosa mallent. Welchem
wol beizusetzen / was er lib. 3. Annal. c. 65. meldet. Me-
moriae proditur, Tiberium quoties curia egrederetur, graecis
verbis in hunc modum eloqui solitum: o homines ad servi-
tutem paratos! scilicet et iam illum, qui libertatem publicam
nollet, tam projectae servientium patientiae toedebat.

v. 51. *Di Schifflott' ist verbrenn't.* Es meldet Plutarchus
im Leben des Antonii / mir auf der 453. Seite: daß Cleopatra di zwischen dem Mittelländischen und rothen Meere
gelegene Enge durchstochen / und ein Antheil der Kriegs-
Schiffe in das rothe Meer übergesätzt / so aber di steinichten
Araber verbrennt hetten.

v. 65. *Solt' er dem Julius als Vater.* Augustus ist von
Julio Caesare an Kindes-statt angenommen worden. Was
dieser mit dem grossen Pompejo für Kriege geführt / darvon sind alle Römische Geschichte voll. Besihe hiervon
kurtz Florum lib. 4. cap. 2. Appian. bell. civ. lib. 2.

v. 67. *Wolln wir wi Lepidus das Leben von ihm bitten:*
Lepidus einer unter den Dreyen / welche das Römische
Reich unter sich getheilet hatten / als er von Augusto et-
liche Sachen / insonderheit Sicilien / vermöge ihres Bundes /
begehrte / ward von ihm überzogen; und nach dem des
Lepidus Heer zum Caesar überfiel / bath er ihn in einem
schwartzen Trauer-Kleide umbs Leben. Xiphilin. Epitom.
Dion. lib. 49. p. m. 55. Augustus aber verbannete ihn nach
Circae auf ewig. Sveton. Vit. August. §. 16. Wiewol dest-

halben nach des Augustus Tode zimlich schimpflich von ihm
geredet ward: Pompejum imagine pacis, sed Lepidum specie Amicitiae deceptos. Tacit. lib. 1. Annal. c. 2.

v. 128. *Was hat Numantias.* Besiehe von dieser Stadt
Ruhms-würdigen Tapfferkeit / Florum lib. 2. cap. 18.

v. 134. *Schwam Caesar nicht.* Welcher gestalt C. Julius
Caesar bey der Stadt Pharos in Egypten / als ihn di mein-
eydigen Egyptier zu tödten vermeinten / entschwommen /
beschreibet Sveton. in Julio. c. 64. Flor. lib. 4. cap. 2. und
Xiphilin. in vita Jul. Caesar. p. m. 19.

v. 136. *Leander hat den Tod.* Leander / ein Jüngling aus
der Stadt Abydus / war in di zu Sestus am Hellespont woh-
nende Ero verlibt / und schwam zur Nachzeit etliche mal
über selbiges enge Meer zu ihr / ward aber endlich von den
ungestümen Wellen ersäuffet. Solches beschreibet Musaeus in
einem grichischen Gedichte.

v. 138. *Das Capitol erhielt das schon verlohrne Rom.*
Als di Gallier di Römer bei dem Flusse Alliam aufs Haupt
geschlagen / begab sich Manlius aus der verlassenen Stadt
Rom ins Capitolium / wehrte sich daselbst so tapffer / biß
Camillus unversehns di Römer entsetzte. Besihe hiervon
Florum lib. 1. cap. 13.

v. 145. *Rom ruft nicht euer Ochsen an.* Apis oder Osiris
ist des Jupiters und Niobe Sohn / der Argiver König und
der Isis Eh-Mann gewest. Diesen haben di Egyptier in gestalt eines lebendigen Ochsen / welcher am Leibe schwartz /
an der Stirne und Rücken weiß / am Schwantze zweyfär-
bicht war / als einen Gott verehret. Wie Plinius lib. 8. cap.
46. ausführlich erzehlet / und Tacit. lib. 5. histor. cap. 3.
gedencket: Bos immolatur, quem Aegyptii Apim coluut.
Deßhalben wahren di Römer auf di Egyptier zimlich hönisch; wie denn Xiphilinus im Leben des Augustus von ihm
meldet: κἄχ τῆς αὐτῆς αἰτίας οὐδ᾽ Ἄπιδι ἐντυχεῖν ἠθέ-
λησε, λεγῶν θεοὺς ἀλλ᾽ οὐχὶ βοῦς προσκυνεῖν εἰθίσθαι.
Er hat aus selbigen Ursachen nicht den Apis sehen wollen /
sagende: si pflegeten Götter / nicht Ochsen anzubethen. Un-
geachtet doch di Römer nichts weniger abergläubisch waren /
als di den Romulum, C. Julium Caesarem und ihre nach-
folgende Keiser göttlich verehrten / ihnen Tempel und Altäre
bauten. Woher gehöret der Ort aus des Taciti Annal. lib. 4.
cap. 38. Sic Herculem & Liberum apud Graecos, Quirinum

apud nos, Deum numero additos. Melius Augustum qui
speraverit. Welche Ehre der schlaue Tiberius daselbst mit
einer lesens-würdigen Rede ausschlägt.

v. 164. *Weil der geschwöll'te Nil als denn di Felder wäs-
sert* und v. 187. *Perdiccas ward durch nichts.* Daß der Nilus
jährlich zweimal sich über di Ufer aufgeschwöllet / und
das gantze Land fruchtbar gemacht / ist mehr als zugemein:
dis aber denckwürdig: daß als nach des grossen Alexanders
Tode Perdiccas bei der Stadt Pelusium in Egypten sein
Läger steckte / ward er daselbst von dem Nilus über-
schwemmet / also: daß desthalben viel von ihm zum Ptolomaeus abfielen / bis daß / als der eine Festung / di Mauer
der Camele genand / vergebens stürmte / und hernach mit
grossem Verlust vieler vornehmen Obersten durch den Nil
durchsätzte / er des Nachts von den Seinigen selbst umbgebracht ward. Vid. Mellif. histor. Christ. Pezelii part. 1.
p. m. 400. 401. Sonsten ist von der Zeit dieser Aufschwel-
lung noch wol anzumercken aus dem Plutarch. lib. de Iside
& Osir. p. m. 611. De sideribus Sirium Isidi adscribunt, cum
aquam ducat: & Leonem venerantur, rictibusque; Leoninis
Januas Templorum ornant, quia Nilus exundat.

Titanis primum currutangente Leonem.

v. 171. *Hat Alexander nicht das wüste Meer getämmet?*
Was für ungläubliche Gebäue der grosse Alexander in Belägerung der Stadt Tyrus in das Meer geleget; darvon meldet Curtius im 4. Buche: über welchen auch di darzu schif-
fenden Tyrier gefragt: num major Neptuno esset Alexander.
Welcher gestalt auch Julius Caesar di Veneter / ein Volck
in Niederland / welchen wegen Epp und Flutt des Meeres
weder mit Schiffen noch zu Fusse beizukommen war /
ruhmbar besigt / erzehlet Caesar lib. 3. de Bell. Gallico
p. m. 78. seqq. Wie auch welcher Gestalt er den grossen
Fluß Iberus in Spanien aus seinen Ufern geleitet / also daß
er ohne Schiffe mit seinem Heere dardurch kommen können / beschreibt er de bell. civil. c. 1. p. m. 319. Worbey
nicht zuvergessen: daß eben er mit seinem Heere durch di
Temse auf di am Rande stehende Britannier gesätzet / darvon er de bell. Gallic. lib. 5. p. m. 133. meldet: Caesar
praemisso Equitatu confestim Legiones subsequi jussit. Sed
ea Celeritate atque; eo Impetu milites ierunt, cum Capite

solo ex aqua extarent, ut hostes Impetum Legionum atque;
Equitum sustinere non possent, ripasque; dimitterent ac
se fugae mandarent. Welcher That Famianus Strada de
bello Belgico dec. 1. lib. 8. p. m. 403. seqq. vergleichet dieselbe / da 1750. Mann aus der Spanischen Armee 4000.
schritte durch di See auf di wolbewehrte Insel Duveland
zu Fusse durchgesätzt und sie erobert. Welches gleichfals
5000. Schritte durchs Meer auf di Insel Zuitverland im
1571sten Jahr ein Spanischer Oberster Mondragonius aus-
gerichtet. Vid. eund. Stradam lib. 7. decad. 1. p. m. 376.
Der Beläegerung der Stadt Tyrus aber wird verglichen di
weltberühmbte Beläegerung der Stadt Rochelle in Franckreich. Ja di Franzosen wollen sie jener noch weit vorzihen.
Massen Monsieur de Silhon en son Ministre d'Estat l. 3.
chap. 5. 6. sie nicht genung herauß zu streichen weiß / alwo
er insonderheit meldet: Tyr & Anvers n'ont rien veu de
semblable quoy qu'on die, si ce n'est peut-estre qu'on
veuille comparer la Mer mediterranee, à l'Ocean & un
canal estroit & tranquille à un Canal extremement agité
& desmesurement large.

v. 181. *Hat der Agrippa nicht in Cumens Felsen Ritz.*
Was daselbst Agrippa für wunderliche und treffliche See-
Hafen gebauet auch in di Lucriner und Averner See das
Meer eingeleitet beschreibet Sveton. in Vit. Aug. c. 16.
Xiphilin. in vit. Aug. p. m. 51.

v. 203. 204. *Den Julius fast zwang auf sich sein Schwerd
zu wetzen für Munda.* Obschon Julius Caesar den Pompejum gestürtzet / hat er doch niemals mit grösserer Gefahr
und zweifelhaftem Gelück gefochten / als in Spanien bei
Munda mit seinen Kindern: also daß er auch schon selbst
sich zutödten willens gewesen / wenn nicht durch einen
sonderbahren Zufall di Pompejischen in di Flucht gerathen
wehren. Strabo lib. 3. pag. 92. Florus lib. 4. cap. 2.

v. 205. *Als Ulla fast Pompejens Beuthe war.* Als Cneus
Pompejus di Stadt Ulla in Spanien so harte beläegerte / daß
sie sich gleich ergeben solte / rückte Julius Caesar für Corduba / dahero muste Pompejus umb Corduba zuentsetzen
von Ulla abziehen. A. Hirtius aut Oppius de bell. Hi-
spaniens. lib. 6. p. m. 546. seqq.

v. 208. *Wer weis ob Juba.* Nach dem der grosse Pompejus bei Pharsalos di grosse Schlacht verlohren / und er in

Egypten vom Pothino ermordet ward / flohen seine Kriegs-Obersten in Africam / und verbanden sich daselbst insonderheit zusammen / Publ. Scipio, M. Cato und Juba der König in Mauritanien / welcher auch den Curio mit des Caesars Heer erlegte. Vellei. Patercul. lib. 2. p. m. 128. Sie wurden aber endlich alle geschlagen / und damit sie nicht in des Siegers Hände kämen / erstach sich Cato selbst / Petrejus Jubam, endlich er und Scipio sich selbst. Florus lib. 4. c. 2. Jul. Caesar de bell. African. lib. 5. Dieses Jubae Sohn ist gewest Juba Coriolanus der hernach di junge Cleopatra geheyrathet.

v. 225. *Weil Cassius der Römer letzter war.* M. Brutus und C. Cassius waren di Häupter derselben / welche den Julium Caesarem umbbrachten / und di Freyheit der Stadt Rom bis auf den letzten Blutts-Tropffen vertheidigten. Dahero auch diese heimlich von denen Römern sehr hochgeschätzet worden. Woher gehöret was Tacitus lib. 3. Annal. cap. ult. von der Juniae, als des C. Cassii Ehweibes Begräbnüsse / erzehlet. Viginti clarissimarum Familiarum imagines antelatae sunt, Manlii, Quinctii, aliaque; ejusdem nobilitatis nomina: sed praefulgebant Cassius atque; Brutus eo ipso, quod Effigies eorum non visebantur. Insonderheit aber gehöret hieher ex Taciti lib. 4. Annal. c. 35. Cremutius Cordus postulatur novo ac tunc primum audito Crimine, quod editis Annalibus, laudatoque; M. Bruto, C. Cassium ROMANORUM ULTIMUM dixisset.

v. 232. *Des Crassus Beyspiel lehrt.* Dieser Crassus brach das mit den Parthern gemachte Bündnüs / überzog den König Orodes / ward aber mit eilf Legionen aufs Haupt erlegt / in seines abgeschnittenen Hauptes Maul flissend Gold gegossen. Florus lib. 3. c. 11.

v. 237. *Herodes Brief trug uns schon Friedens-Mittel an.* Welcher gestalt Herodes dem Antonius Cleopatram zutödten / und durch dis einige Mittel sich mit dem Augustus zuversöhnen gerathen / eröffnet er selbst dem Augustus als er auf der Insel Rhodus das Königreich von ihm erhält / beim Joseph. lib. 15. Ant. Judaic. c. 10.

v. 243. *Zu Perusien an unsers Fürsten Bruder.* Als sich Lucius Antonius nebst der Fulvia wider den Augustus auflehnete / beschloß er sie zu Perusia und zwang sie durch Hunger: daß sie sich ihm ergeben musten / ließ sie aber beide auf freien Fuß. Dio lib. 47. C. Vellej. Patercul. libr. 2. p. m. 139.

v. 251. *Er hat dem Decius den Vater-Mord vergessen.* Als Caesar dem Antonius bei Mutina geschlagen hatte / und also Decius Brutus einer unter des Caesars Mördern in seine Hände kam / ließ er ihn dennoch desthalben gantz frei. Pezelius Mell. hist. parte 2. lib. 2. cap. 1. p. m. 118.

v. 256. *Er ließ auch Brutus Kopff für Caesars Bildnüs springen.* Von des Octavii Caesaris Rachgier meldet Sveton. in Octav. c. 13. Nec successum Victoriae moderatus est: sed capite Bruti Romam misso, ut Statuae Caesaris subjiceretur, in splendidissimum quemque; captivum non sine verborum contumelia saeviit. Ut quidem uni suppliciter sepulturam precanti respondisse dicatur, Jam istam in volucrum fore potestatem, alios, patrem & filium pro vita roganteis, sortiri vel dimicare jussisse, ut alterutri concederetur: ac spectasse utrumque morientem, cum patre, qui se obtulerat, occiso, filius quoque; voluntaria occubuisset morte.

v. 257. *Noch der Peruser Schaar.* Eben dis erzehlt Sveton. d. l. c. 15. Perusia capta in plurimos animadvertit: orare veniam vel excusare se conantibus una voce occurrens, Moriendum esse. Scribunt quidam trecentos ex dedititiis electos utriusque; ordinis ad aram D. Julio ex structam Idibus Martiis hostiarum more mactatos. Ein gleichmässiges Exempel erzehlt vom Alexandro Justin. lib. 11. Prima illi cura paternarum Exequiarum fuit: in quibus ante omnia caedis conscios ad tumulum patris occidi jussit. Und von der Deutschen Grausamkeit als Varus erlegt worden / Tacit. l. 1. Annal. c. 61. Lucis propinquis barbarae Arae, apud quas Tribunos & primorum Ordinum Centuriones mactaverant. Endlich berichtet Appianus: Spartacus fugitivus, Crixo occiso, trecentos e captivis Romanis immolavit.

v. 260. *Wie Gallius? dem er di Augen ausgestochen.* Sveton. in Octav. c. 27. erzehlt dis also: C. Gallium praetorem in officio salutationis tabb. duplices veste tectas tenentem, suspicatus gladium occulere: nec quidquam statim, ne aliud inveniretur, ausus inquirere, paulo post per Centuriones & milites raptum e tribunali, servilem in modum torsit: ac fatentem nihil jussit occidi, prius Oculis ejus sua manu effossis. Gleichmässig meldet Valerius: Sylla M. Marium non prius vita privavit, quam oculos infelicis erueret.

v. 262. *Ein unbedachtsam Wort hat Afern umbgebracht.*
Svetonius an obigem Orthe: Tedium Afrum Cos. designatum, quia factum quoddam suum maligno sermone carpsisset, tantis perterruit minis, ut is se praecipitaverit.

v. 268. *Wenn Cato sich ergeben.* Caesar eilte nach erlangtem Siege auf Utica zu / umb daselbst den Cato noch lebendig anzutreffen / welcher aber mit dem Tode dem Sieger vorkam. Dahero / als ihn Caesar todt fand / er diese Worte gebrauchte: Iuvideo Cato hoc lethum tibi, nempe tu mihi salutem invidisti tuam. Pezel. d. l. p. 2. l. 1. c. 44. pag. 105.

v. 312. *Der Abgott wolte nicht di besten Früchte kennen.*
Wenn der Ochse Apis das vorgereckte Futter nicht annehmen wolte war es ein böses Zeichen. Ideo cum a Germanico Imperatore pabulum oblatum renuisset, funestum Omen & indubiam necem, quae paulo post secuta est, praenunciavit.

v. 315. *So fieng sein Ebenbild erschrecklich anzubrillen.*
Von denen Wunder-Zeichen so vorhergegangen ehe Augustus sich Egiptens bemächtigt / erzehlet dieses Xiphilin. ex Dion. lib. 51. p. m. 64. 65. Αἴγυπτος μὲν οὕτως ἐδουλώθη, ὥς που καὶ τὸ δαιμόνιον ἐναργέστατα προϋπέδειξεν. ὑσετε γὰρ οὐχ ὅπως ὕδατι ἔνθα μηδὲ ἐψέκασέ ποτε, ἀλλὰ καὶ αἵματι· καί τις δράκων ὑπερμεγέθης ἐξαίφνης σφίσιν ὀφθεὶς ἀμήχανον ὅσον ἐξεσύρισε. κᾀ'ν τούτῳ καὶ ἀστέρες κομῆται ἑωρῶντο, καὶ νεκρῶν εἴδωλα ἐφαντάζετο, τά τε ἀγάλματα ἐσκυθρώπασε, καὶ ὁ Ἄπις ὀλοφυρτικόν τι ἐμυκήσατο καὶ ἐδάκρυσε. Also ist Egypten unterthänig gemacht worden / welches di Götter vorher klärlich angezeigt hatten. Denn an dieselbigen Orthe / da vorhin kein Tropfen Wasser war hingefallen / ist ein Regen von Wasser und Blutt geflossen. Uber dis hat ein überaus grosser Drache / so bald er von Egiptiern gesehn worden / alsbald wunderlich gezischet. Es sind auch Comet-Sterne gesehen worden. Es sind gleichfals erschienen Bilder verstorbener Menschen / und der Götter Bildnüsse sind traurig gewesen. Endlich hat Apis sehr und erbärmlich geheulet / und Thränen vergossen.

v. 320. *Als man der Isis Bild.* Isis war des Flusses Inachus Tochter / welche Jupiter wegen der schelsichtigen Juno in eine Kalbe verwandelt / sie aber hernach zu voriger gestalt bracht / so hernach den Osiris oder Serapis geheyrathet /

und wegen ihrer Wolthaten von den Egyptiern für eine Göttin verehret worden. Lucan. lib. 8.

Nos in Templa tuam Romana recepimus Isim.

Dieser Isis und des Serapis falsche Gottheit weiß nebst andern stattlich durchzuziehen Arnob. contra gentes l. 1. p. m. 478. & lib. 8. p. m. 764. Di denckwürdige Uberschrifft aber an der Isidis Tempel in Egipten scheinet keine heidnische Brunquäll zu haben / welche Plutarch. lib. de Isid. & Osir. p. m. 593. hat: Ego sum omne quod extitit, est, & erit: meumque; peplum nemo adhuc Mortalium detexit.

v. 327. *Der hochgeweihte Fisch.* Das ist Oxyrinchus, den di Egyptier abgöttisch verehrten. Strabo. lib. 17.

v. 329. *Es kam kein süsser Thon aus Memnons Marmel-Seul.* Di Beschaffenheit dieser Wunder-Seule beschreibt nebst andern Egyptischen Wunder-Wercken Tacitus lib. 2. Annal. cap. 61. Caeterum Germanicus aliis quoque; miraculis intendit animum, quorum praecipua fuere Memnonis saxea effigies, ubi radiis solis icta est, vocalem sonum reddens: disjectasque; inter & vix pervias arenas instar Montium eductae Pyramides certamine & opibus Regum: lacusque: effossa humo, superfluentis Nili receptacula: atque; alibi angustiae & profunda altitudo, nullis inquirentium spatiis penetrabilis. Von dieser Seule meldet M. Claude Duret en le Thresor de l'Historie de Langves chap. 40. p. m. 1370. daß sie dem Könige Memnon zu Ehren sey gesetzt / bey aufgehender Sonnen von dem Teuffel daraus geantwortet worden / bei unsers Erlösers Geburt aber verstummet sey. Dessen Worte / weil sie so gemein nicht sind / ich hieher setze: A Tuthemosis succeda Amenophis second du nom, que d'aucuns appellent Men-non & Mena, qui fut celuy qui feit l'Edit contre les Hebrieux touchant le massacre des Enfans masles, à quoy pourveut la sagesse des sages femmes, qui recevoient les Enfens. A cestuy les Egyptiens dresserent une statue, qui fut appellée la Pierre parlant, à cause que dedans cette Idole le Diable rendoit response tous les matins à Soleil levant: & dura cela jusques à la venue de Iesus Christ au monde.

v. 369. *Daß das so grosse Rom.* Auf diese Art beklaget fast die Bürgerlichen Kriege Horat. Epod. lib. Od. 16.

Altera jam teritur bellis civilibus aetas,
  Suis & ipsa Roma viribus ruit:
Quam neque; finitimi valuerunt perdere Marsi,
  Minacis aut Etrusca Porsenae manus,
Aemula nec Virtus Capuae, nec Spartacus acer,
  Novisque rebus infidelis Allobrox,
Nec fera caerulea domuit Germania pube,
  Parentibusque; abominatus Hannibal.

v. 371. *Verzagte Porsena für eines Römers Tugend.* Nemlich für dem Mutius Scaevola / der / als er nicht ihn den König; sondern seinen Schreiber aus Irrthum getroffen / ihm selbst die Hand wegbrennte / und dardurch den Porsena zum Abzuge von Rom bewegte. Livius d. 2. l. 12. c. 7. Florus lib. 1. c. 10.

v. 372. *Erlag der Spartacus.* Diesen Krieg beschreibt Appian. de bell. civil. l. 1. p. 423. Florus lib. 3. c. 10.

v. 376. *Jüngst hat's vom Sylla selbst.* Hieher gehöret der Ort ex Flori lib. 3. cap. 2. Sylla incendio viam fecit arcemque; Capitolii quae Poenos quoque; Gallos etiam Senones evaserat, quasi captivam victor insedit. In selbigem bürgerlichen Kriege haben auch Marius und Cinna gewüttet.

v. 379. *Den grimmen Catilinen muß warmes Menschen-Blutt.* Hiervon schreibt Salustius. de bell. Catilin. c. 22. p. m. 17. Fuere ea tempestate, qui dicerent, Catilinam, oratione habita, cum ad jusjurandum populares sceleris sui adigeret, humani Corporis sangvinem vino permixtum in pateris circumtulisse; inde cum post exsecrationem omnes degustavissent, sicuti in solemnibus sacris fieri consvevit, aperuisse Consilium suum und Florus lib. 4. cap. 1. Additum est pignus Conjurationis sangvis humanus: quem circumlatum pateris bibere: summum nefas, nisi amplius esset, propter quod biberunt. Von derogleichen Art fester verbindungen meldet Tacitus lib. 12. Annal. c. 47. Mos est Regibus, quotiens in societatem coeant, implicare dextras, pollicesque; inter se vincire, nodoque; praestringere: mox ubi sangvis in artus extremos effuderit, levi ictu cruorem eliciunt atque; invicem lambunt. Id foedus arcanum habetur, quasi mutuo cruore sacratum. Besiehe hierüber Lipsium ad d. l. Taciti 12, 47. 3. Freinsheim. ad d. l. Flori. litt. g.

v. 401. *Wie / daß man eh ich todt mein Testament erbricht?* Antonius warff dem Augusto vor: daß er den Lepidus seines dritten Theils entsetzet; daß er dessen und des Sexti Pompeji Kriegs-Volck für sich all eine behalten / insonderheit aber: daß er den Antonium zu Rom verhaßt zumachen / sein bei den Vestalischen Jungfrauen beigelegtes Testament eröffnet. Hingegen klagte Augustus über den Antonium: daß er Egyptenland ohne Loos behielte; daß er den Sextum Pompejum, den er begnadigt / tödten lassen / daß er den König in Armenien Artabazes oder Artavasdes in Ketten gelegt / daß er seine Schwester di Octaviam (welche doch ihren Bruder ihrethalben nicht Krieg zu führen abgemahnet) verstossen und sich mit Cleopatren verehlicht; daß er dis / was dem Römischen Reiche zustünde / ihr und ihren Kindern zugeeignet; diese Könige der Könige / der Cleopatre und des Iulii Caesaris Sohn Caesarion genennet / besihe hiervon Xiphilin. ex Dion. lib. 50. p. m. 58. 59. Plutarch. in vit. Anton. p. m. 442. 443. 445. Sueton. in Octav. c. 17.

v. 422. *Daß Pompejus ihm nach Volck und Land getracht.* Als Sextus Pompejus bei Sicilien vom Augusto überwunden ward / flohe er entlich in Asien / und als Antonius gegen di Parther zimlich eingebüst hatte / bemühete er sich ihm selbige Völcker und Könige anhängig zu machen / ward aber zu Mileto auf befehl Antonii von M. Titio erwürget. Xiphilin. lib. 49. p. m. 54. 55. Vellej. Paterc. lib. 2.

v. 440. *Wie Caesar es gewahn verlohr.* Als Caesar den grossen Pompejum in Egipten verfolgte / der daselbst durch den Achillas meineydisch umbbracht ward / kam ihm Cleopatra entgegen / welcher ihr Bruder Ptolomaeus anfangs mit Gift nachstelte / hernach sie aus dem Königreich verjagte / und bewegte durch ihren Liebreitz den ohne dis des Pompejus halben erbitterten Caesar / daß / als Ptolomaeus die gemachte Reichs-Theilung nicht beliben wolte / er sich des Königreichs bemächtigte / darüber Ptolomaeus umbkam / welches er aber gantz der Cleopatra einräumte. Florus lib. 4. c. 2. n. 55. seqq.

v. 443. 445. *Den Männern komt der Thron den Weibern Bett-Gewand.* Di Politici sind fast einhelliger Meinung: daß di Weiber meistentheils zum regieren nicht taugen. Worvon Ferrante Pallavicino l. 3. di Taliclea p. 321. artlich redet: Gli Stati trà le mani d'una femina per ordinario vacillano,

molto essendo differente da una conocchia un scettro. Noch
artlicher das auf das Salische Gesätze der Frantzosen gerich-
tete Sprichwort: Les Lys ne sçavent point filer. Lilia non
laborant neque; nent. Pierre Matthieu livr. 2. de hist.
l'Henry IV. narrat. 1. p. m. 266. Wie wol andere di Weiber
nicht gar von der Regierung außschlüssen. Lips. Polt. l. 2.
c. 3.

v. 464. *Weil man uns nach dem Kopf' hat durch dis Weib
getrachtet.* Man warf dem Augusto vor: Antonium Taren-
tino Brundusinoque; foedere & nuptiis sororis inlectum,
subdolae adfinitatis poenas morte exolvisse. Tacit. l. 1.
Annal. c. 10.

v. 466. *Di Stadt-sucht Tulliens.* Diese auf ihres Vaters
Leiche wüttende Tochter beschreibet Florus lib. 1. c. 7. kurtz
und gutt: Nec abhorrebat moribus Uxor Tullia (Tarquinii
superbi) quae ut virum Regem salutaret, super cruentum
Patrem vecta carpento, consternatos Equos egit. Add. Valer.
Maxim. 9, 11. 1. Ein gleichmässiges Exempel erzehlet von des
Eucretides Sohne Justin. lib. 41. c. 6. n. 6. Hieher gehöret
di fürtrefliche Anmerckung von Verheyrathung hoher Häupter des Monsieur de Silhon en son Ministre d'Estat livr. 3.
chap. 4. aus welcher ich nur diese wenige Wortte als einen
kurtzen Begrief hieher setze: Le Roy est en cecy au dessus
de l'homme: la consideration de la parentè est inferieure à
celle de l'Estat, & les obligations du sang, qui se bornent
à peu de personnes doivent ceder aux obligations de la
charge, ou une infinité sont interessées.

v. 468. *Daß Nerons Weib ihm schwanger ward vermählet.*
Livia, so hernach Julia Augusta genennet ward / war anfänglich des Tiberii Neronis Ehweib; in diese verlibte sich
Octavius Augustus also / daß er sie auch / als sie noch
schwanger war / ihm beilegte. Worvon Tacitus. lib. 5. Ann.
c. 1. Exin Caesar cupidine formae aufert Marito, incertum
an invitam, adeo properus, ut nę spatio quidem ad eniten-
dum dato, penatibus suis gravidam induxerit. Dahero man
ihm nicht alleine bei seinem Begräbnüsse übel nachredete:
abducta Neroni Uxor, & consulti perludibrium Pontifices,
an concepto nec dum edito partu rite nuberet. Tacit. l. 1.
Annal. c. 10. Sondern sie zothen auch als bald dise That
mit diesem Sprichwortte durch: Τοῖς εὐτυχοῦσι καὶ τρίμηνα
παιδία. Glückseligen Leuthen werden auch Kinder im drit-

ten Monat gebohren. Denn in solcher Zeit gebahr sie Cl.
Drusum Neronem. Xiphilin. Dion. lib. 48. p. m. 50.
Wiewol diese Heyrath mit der Götter Wahrsagung be-
mäntelt ward. Worvon Prudentius meldet:

> Idque; Deum sortes & Apollinis antra dederunt
> Consilium: nunquam melius nam cedere taedas,
> Responsum est, quam cum praegnans nova nupta
>   jugatur.

v. 474. *Mit wieviel frembden hat sich Caesar nicht ergätzt?* Sveton. in Vit. Iulii. c. 52. Dilexit & Reginas inter
quas Eunoen, Mauram, Bogudis uxorem: cui, Maritoque
ejus plurima & immensa tribuit, ut Naso scripsit: sed maxime Cleopatram, cum qua & Convivia, in primam lucem
protaxit, & eadem nave thalamego pene Aethiopia tenus
Aegyptum penetravit, nisi Exercitus sequi recusasset.

v. 480. *August hat selbst zu Eh' ein Getisch Weib begehret* / und v. 482. Hiervon schreibet Sveton. in Octav. c. 63.
M. Antonius scribit: Primum eum Antonio Filio suo despon-
disse Iuliam, dein Cotosoni Getarum Regi: quo tempore
sibi quoque; invicem filiam Regis in matrimonium petiisse.

v. 484. 485. 487. 488. 489. Diese werden sämbtlich aus des
Sveton. Octav. c. 69. erkläret: Adulteria quidem exercuisse
(Augustum) ne amici quidem negant: excusantes sane, non
libidine, sed ratione commissa: quo facilius consilia Adver-
sariorum per cujusque; mulieres exquireret. M. Antonius
super festinatas Liviae nuptias objecit, & faeminam consu-
larem e triclinio viri coram in cubiculum abductam, rursus
in convivium rubentibus auriculis, incomtiore capillo reduc-
tam: & dimissam Scriboniam, quod liberius doluisset ni-
miam potentiam pellicis. & c.

v. 486. *Weil di verruchte sie ihm selbst hat zugeführet.*
Sveton. in Octav. c. 71. Circa libidines haesit: postea quoque; ut ferunt, ad vitiandas virgines promptior, quae sibi
undique; etiam ab uxore conquirerentur.

v. 490. *Ihm war sein eigen Leib für Geld und Erbrecht
feil.* Dieser schändlichen Thaten beschuldigt Augustum Sveton. d. l. c. 68. Sex. Pompejus ut effoeminatum sectatus est.
M. Antonius adoptionem avunculi (Jul. Caesaris) stupro
meritum. Item Lucius Marci frater, quasi pudicitiam deliba-
tam a Caesare, A. etiam Hirtio in Hispania C C C. millibus

nummum substraverit, solitusque; sit crura suburere nuce
ardenti, quo mollior pilus surgeret.

v. 498. *Daß er in Parthen nicht mit uns zu Felde zug.* Den
Untergang des Königes Artabazes beschreibet Xiphilin. lib.
49. p. 57. 58. kurtz: Ἀντώνιος δὲ τὸν βασιλέα τῶν Ἀρ-
μενίων δόλῳ καὶ ἀπάτῃ ἑλὼν, ὅτι μὴ ζυνεμάχηζέν οἱ κατὰ
τῶν Πάρθων ἀργυραῖς ἁλύσεσι περιῆγεν, εἶτα καὶ χρυσαῖς
τῇ Κλεοπάτρᾳ προσῆγε. Antonius fing den König in Armenien durch List / weil er ihm in dem Kriege wider di
Parther nicht beigestanden; welchen er zwar anfangs mit
silbernen Ketten gebunden / hernach aber in goldenen zur
Cleopat. geführet. Dessen gedencket auch noch Tacitus lib.
2. Ann. c. 3. Victo Vononi perfugium Armenia fuit, vacua
tunc interque; Parthorum & Romanas Opes infida, ob sce-
lus Antonii, qui Artavasdem Regem Armeniorum specie
Amicitiae inlectum, dein catenis oneratum, postremo inter-
fecerat.

v. 500. *Jugurtha muste Stahl.* und v. 714. *Rom hat viel
Fürsten.* Der König in Numidien / welcher nach Rom in
Ketten gebracht ward: von dem Florus lib. 3. cap. 1. tan-
demque; opertum catenis Iugurtham in triumpho populus
Romanus aspexit. Add. Salust. de bell. Iugurth. in fin. Was
auch sonst für Könige sind nach Rom gefangen gebracht
worden / ist ex Tacit. 12. Annal. c. 38. zulernen: Vocati
posthac patres multa & magnifica super captivitate Carac-
taci disseruere; neque; minus id clarum, quam cum Sipha-
cem P. Scipio, Persem L. Paulus & si qui alii vinctos Reges
Populi Rom. ostendere.

v. 509. *Er gieng mit dem Pompej ein heimlich Bündnüß
ein.* Als Augustus mit Sexto Pompejo Krieg führete / hatte
er den Lepidum endlich im Verdacht: als wenn er mit jenem
heimlich Verständnüs hette / wiewol er diesen Argwohn
umb ihn nicht zum offentlichen Feinde zu haben / verhölete /
bis er den Pompejum erleget hatte. Xiphilin. lib. 49. p. m. 55.

v. 546. *Rom alle Julier in Tempeln bethen an.* Welcher-
gestalt Julio Caesari sei Göttliche Ehre angethan worden /
meldet Sveton. in Iulio c. 85. Postea solidam Columnam
prope 20. pedum lapidis Numidici in foro statuit: scrip-
sitque; PARENTI PATRIAE. Apud eandem longo tempore
sacrificare, vota suscipere, controversias quasdam interpo-
sito per Caesarem jurejurando distrahere perseverant. Et c.

88. Ludis, quos primo consecratos ei haeres Augustus edebat, stella crinita per septem dies continuos sulsit, exoriens circa undecimam horam. Creditumque; est, animam esse Caesaris in Coelum recepti, & hac de caussa Simulacro ejus in vertice additur Stella. Ja es ist dieses auch denen nachfolgenden Keisern derogestalt geschehen. Tacit. lib. 15. in fin. Deum honor Principi non ante habitus, quam agere inter homines desierit. Welches aber auch die Römer schon an der Livia getadelt: nihil Deorum honoribus relictum, cum se Templis & effigie Numinum per flamines & sacerdotes coli vellet. Tacit. l. 1 Ann. c. 10. Ja es erzehlet Valer. Maxim. lib. 1. cap. 8. n. 8. Daß Julius Caesar den Cassium in der Schlacht angerennet und den / der ihn vor schon getödtet / erschrecket habe. Wornebst er anmerckt: Non occideras tu quidem, Cassi, Caesarem, neque; enim extingvi ulla divinitas potest: sed mortali adhuc Corpore utentem violando meruisti, ut tam infestum haberes Deum.

v. 622. *Was hat nicht Hercules umb Omphalen gelibt?* Hercules hat dieser zu liebe di Löuen-Haut ab / den Weiber-Rock angelegt ja di Spindel in di Hand genommen. Dieses beschreibet Ovid. in Deianira, aber artlicher Guarini nel Pastor fido. Att. 1. Scen. 1. p. m. 25.

> – – – – – – – – Ancor non sai
> che per piacer ad Onfale, non pure
> volle cangiar in feminile spoglie
> del feroce Leon l'hispido tergo;
> mà de la clava noderosa in vece
> trattar il fuso & la conocchia im belle?
> Così de le fatiche e de gli affanni
> prendea ristoro, e nel bel sen di leì
> quasi in porto d'Amor solea ritrarsi.

Diese Vergleichung des Hercules und des Antonii hat schon Plutarch. in Vita Antonii. p. 466. Antonium, sicut in picturis Herculi videmus subtrahi ab Omphale clavam, leoninamque; detrahi: ita frequenter exarmatum ac detractum induxit Cleopatra, ut dimissis e manibus magnis rebus atque; Expeditionibus necessariis oscitaret luderetque; secum circa Canopi & Taphosiridis littora.

v. 680. *Di Flamme Trojens ward von Hecuben gebohren.* Daß Ilium oder Troja / weil der Paris dem Menelaus di

Helena entführet / von den Grichen zerstört worden / ist
mehr als zu gemein. Als aber Hecuba mit dem Paris schwanger gegangen / hat ihr geträumt / als wenn sie eine Fackel
gebehre. Welches Maro eben auf di Art / wie ich allhier /
anwendet lib. 7. Aen. v. 319.

– – – – – – – – – – – nec face tantum
Cissaeis praegnans ignes enixa jugales:
Quin idem Veneri partus suus & Paris alter
funestaeque; iterum recidiva in Pergama Tedae.

v. 719. *Schick't Masanissa nicht ein Gift-Glas Sophoniß-
ben.* Als Scipio den König in Numidien Siphax und Sophonisben gefangen bekam / verliebte sich in diese Masanissa:
welchen aber Scipio beweglich von ihrer Liebe und Eh ab-
mahnete. Dahero weil er ihr versprochen: daß sie in keine
feindliche Hände kommen solte / schickte er ihr Gifft zu /
welches sie auch behertzt ausgetruncken / diese Wortte aus-
sprechende: Accipio nuptiale munus nec ingratum, si nihil
majus Vir Uxori praestare potuit, hoc tamen nuncia, melius
me morituram fuisse, si non in funere meo nupsissem. Livius.
dec. 3. lib. 5. p. m. 395.

v. 720. *Pyramus stirbt neben seiner Thysben.* Diese be-
kandte Fabel beschreibt Ovid. l. 4. Metam.

v. 739. *Mit was für Ruhme sie bei Actium gefochten.* Als
Antonius und Augustus bei Actium zur See schlugen / sahe
Cleopatra eine weile dem Gefechte zu / sie wolte aber der
Schlacht zweifelhafften Außgang nicht erwarten / sondern
flohe mit 60. Schiffen darvon. Als dis Antonius / dessen verliebte Seele in ihrem Leibe lebte / gewahr ward / folgte er
ihr nach / und gab also den Seinigen Anlaß zuflihen / dem
Feinde di Oberhand zubehalten. Plutarch. in vit. Antonii
p. m. 451. Xiphilin. lib. 50. p. m. 61.

v. 741. *Di grosse Fulvia hat's Helden gleich gethan.* Fulvia
des Antonii Ehweib war ein Weib von Männlicher Hertz-
haftigkeit / daher sie auch offt den Degen anzugürten / die
Soldaten zu mustern / selbte anzufrischen und anzuführen
pflegte: besihe Plutarch. d. l. p. m. 411. Xiphilin. lib. 47.
p. 45.

v. 745. *Als sie Pelusium vorsätzlich uns entzog.* Man gab
der Cleopatra schuld: daß Seleucus sich nebst dieser vornehmen Festung in Egypten mit willen der Cleopatra erge-

ben. Nichts desto weniger überlieferte sie Antonio des Seleuci
Weib und Kinder zur Straffe. Plutarch. ibid. p. 456.

v. 749. *Si machte: daß von uns di Schiff-Armee fiel ab.*
Als bei wehrender Belägerung einsmals Antonius sein Kriegs-
Heer für Alexandria in di Schlacht-Ordnung stellte / ward
er gewar; daß in des seine Schiff-Flotte auß dem Hafen
segelte und sich mit des Keisers vereinigte. Als nun hierauf
auch seine Reiterey von ihm übergieng / auch sein Fuß-Volck
zertrennet ward / kehrte er zornig in di Stadt zu rücke /
schreiende: daß er von Cleopatra denen verrathen sei / wider
welche er ihrethalben di Waffen ergriffen. Plutarch. d. l. p.
m. 457. 458.

v. 770. *Daß ich Saturnus Erb' in euch sol theilen ein.* Von
dieser brüderlichen des Saturnus Erb- und Reich-Schichtung
redet Neptunus beim Homero Iliad. o. p. m. 529. also:

Τριχθὰ δὲ πάντα δέδασται, ἕκαστος δ' ἔμμορε τιμῆς.
Ἤτοι ἐγὼν ἔλαχον πολιὴν ἅλα ναιέμεν αἰεὶ
Παλλομένων, Ἀΐδης δ' ἔλαχεν ζόφον ἠερόεντα·
Ξεὺς δ' ἔλαχ' οὐρανὸν εὐρὺν ἐν αἰθέρι καὶ νεφέλησι.

Dis All' ist in drey Theil getheil't: iedwedem fäll't
Absonder' Ehre zu. Ich kriegte Meer und Wellen:
Dem Pluto kam di Nacht der düster-finstern Hellen:
Und Jupiter erlangt des Himmels wölckicht Zelt.

Was sonst di Erfindung dieses Reyens belangt / gestehe
ich aufrichtig zu: daß ihn der unvergleichliche Barclajus in
seiner Argenis 3. Buche im 23. Capitel unter einem Tantze
des Radirobanes der gelehrten Welt schon auf den Schauplatz gestellet: ich halte es aber für besser / seine Wegweiser
eröfnen / als frembde Wahren für eigne verkauffen.

Anmerckungen.
Zu der andern Abhandlung.

v. 9. *Kom borge bei den Mohr'n di wahre Redligkeit.* Di Africaner wahren wegen ihrer Untreu sehr verachtet; woher das Sprichwort: Punica fides. Massen gleichfals auch di Cretenser wegen ihrer Unwarheit übel beschrien gewest. Dahero ihnen auch Paulus Epist. ad Tit. c. 1. aus dem Poeten vorwirfft:

Κρῆτες ἀεὶ ψεῦσθαι, κακὰ θηρία, γαστέρες ἀργαί.

v. 75. *Ist dis des Keisers Hand?* Als Cleopatra vom Augusto sich zimlich ins gedrange gebracht sahe / schrieb sie heimlich an ihn und bath umb Vertrag und Genade. Hierauf antwortete er ihr: daß / wenn sie entweder den Antonium tödtete oder von sich stiesse / solte es ihr an Gütte nicht fehlen. Plutarch. ibid. p. 456.

v. 76. *Ist dir Augustus Bild.* Von dem Sigel des Augusti meldet Sveton. in Octav. c. 50. In Diplomatibus libellisque; & Epistolis signandis initio Sphinge usus est: mox imagine magni Alexandri, novissime sua Dioscoridis manu sculpta, qua signare insecuti quoque; Principes perseverarunt: Welches auch Xiphilin. lib. 61. pag. 62. bestetigt / und daß alleine Galba ein besonder Sigel gebraucht habe. Οὗτος γὰρ προγονικῷ τινι σφραγίσματι κύνα ἐκ πρώρας νεώς προκύπτοντα ἔχοντι χρήσασθαι λέγεται / Denn dieser sol seiner Vorfahren Siegel gebraucht haben / da ein Hund aus dem Vordertheil des Schiffes den Kopff heraus gerecket.

v. 236. *Schau't an Cleopatren des Mohnden Ebenbild.* Plutarch. in vit. Anton. p. m. 429. Massen daher auch Sveton. Caligul. c. 26. Di jüngere Cleopatram Selenam nennet. Gleichmäßig schreibet beim Ammian. Marcell. lib. 17. Sapor an den Keiser Constantium: Rex Regum Sapor, particeps siderum, Frater Solis & Lunae Constantio fratri meo salutem plurimam dico.

v. 245. *Sie Isis unsrer Zeiten.* Wenn Cleopatra sich offentlich sehen ließ / zohe sie den der Isis gewiedmeten Rock an / und redete zu dem Volcke unter dem Namen der neuen Isis. Plutarch. ibid. p. 442. 443.

v. 342. *Der Ehstand wird mit fug nach eurem Recht zer-*

rissen. Aus was liederlichen Ursachen bey den Römern di Ehleuthe sich trennen kunten / ist aus den Römischen Rechten bekand. Der erste ist gewesen Sp. Carvilius Ruga, der in 600. Jahr nach Erbauung Roms sein Weib wegen Unfruchtbarkeit verstossen. C. Sulpitius Gallus, verstieß seine; weil er sie ausserhalb des Hauses mit entblöstem Haupte mit andern redend fand; Q. Antistius Vetus seine / weil sie mit einer gemeinen Freigelassenen heimlich redete; Sempronius Sophus, weil sie ohne sein Vorwissen den Schauspielen zugesehen. Valer. Maxim. lib. 3. c. 6. Ja daß auch ohne alle Ursache divortia geschehen / ist ex l. 9. C. de repud. klar zu sehen. Dieses pflegte gemeiniglich schrifftlich zugeschehen mit dieser Art: Res tuas tibi habeto. Worbey denn / als sie aus dem Hause gewiesen ward / ihr die Schlüssel abgenommen worden. Dahero in LI. Xuiralibus: Res suas sibi habeto, claves adimito, foras exigito. Besihe hiervon Dempster. ad Rosin. Antiq. Rom. Paralip. ad lib. 5. cap. 28.

v. 353. *Ich seh' in Helenen ein neues Troja brennen.* Nemlich an Cleopatren. Hieher gehöret der schöne Orth ex Senec. Agam. Act. 4. v. 789.

Agamemnon. Credis videre te Ilium?
Cassandra.   & Priamum simul.
Agamemnon.
    Heic Troja non est.
Cassandra.   Ubi Helena est, Trojam puta.

Allwo er unter der Helena des Agamemnons Gemahl die Clytemnestra verstehet / welche in seiner Abwesenheit für Troja mit dem Aegisthus Ehbruch getrieben / und hernach auff sein Anhetzen nebst ihm den Agamemnon bei dem wilkommens-Mahl ermordet. Besihe Senec. in Agamemnone.

v. 403. *Der auf den Orth / wo er hinzielt / den Rücken kehrt.* Welcherley gestalt auf frembder Rathschläge in Staats-Sachen nicht zu fußen / führt sehr nachdencklich aus Monsieur de Silhon en son Ministre d'Estat disc. 9. & 14. Alwo dessen daselbst befindliche Worte sich hieher sehr wol schicken: Les habiles gens croyent d'ordinaire le contraire & cherchent la verité des Intentions dans la partie contradictoire des paroles. Di Uhrsache stehet vorher: qu'ils tournent le dos au lieu, où ils veulent aborder, comefont ceux qui navigent, & bien que les lignes droites soiet les plus courtes,

qu'ils ayment mieux les obliques, pour pervenir à leur fin,
& au but, qu'ils se proposent.

v. 504. *Lege den zaubernden Gürtel von dir.* Di Poeten
haben der Venus einen wunderlichen Gürtel angedichtet.
Von welchem Homerus Iliad. ζ. dis erzehlet:

’Απὸ στήθεσφιν ἐλύσατο κεστὸν ἱμάντα
Ποικίλον· ἔνθα δὲ οἱ θελκτήρια πάντα τέτυκτο.
’Ενθ’ ἔνι μὲν φιλότης, ἐν δ’ ἵμερος ἐν δ’ ὀαριστὺς
Πάρφασις, ἥτ’ ἔκλεψε νόον πύκα περ’ φρονεόντων.

Sie schnürte von der Brust den bundten Gürtel loos;
Der in sich alle Lust und Liebes-reitz verschloß /
Begihrde / Zauberei / Beredsamkeit / Verlangen /
Di auch der klugen Hertz betrüglich können fangen.

v. 505. *Blau-äugichte Pallas.* Also wird sie vom Homero
hin und wider γλαυκῶπις genennet / dahero auch von ihr
das Schloß zu Athen γλαυκώπιον genennet ward. Beydes
von der Venus Gürtel und der Pallas Augen führet also
auch ein der Sinn-reiche Marino, nel Canto. 2. dell' Adone.
Ottav. 123.

Horsù (Palla soggiunse) ecco mi svesto,
Mà prima che scinte habbian le gonne eimanti,
Fà tu Pastor, eh’ ella deponga il cesto,
Se non vuoi pur, che per Magia t’incanti.
Replicò l’altra. Io non ripugno à questo.
Mà tu, che di beltà vineer ti vanti
Perche non lasci il tuo guerriero elmetto?
E lo spaventi con feroce aspetto?
    Forse che’n te si noti e si riprenda
Degli ocehi glauchi il torvo lume hai scorno?

v. 509. *Antigonens Ungemach.* Diese des Laomedon Tochter / als sie sich erkühnte ihre Schönheit der Juno vorzu-
zihen / ward von dieser in einen Storch verwandelt. Ovid.
6. Metam.

v. 510. *Des Ixion unruhiges Rad.* Als Ixion seinen Schwä-
her Deioneus umbbracht / ward er vom Jupiter aus Erbarm-
nüs in Himmel genommen / und daselbst deßhalben ge-
reinigt. Er verliebte sich aber in di Juno / dem aber Jupiter
unter ihrer gestalt eine Wolcke beilegte / worvon auch die
Centauri gebohren worden. Als er sich aber hernach auf

Erden rühmete: daß er der Götter Königin beschlaffen /
ward er von des Jupiters Blitz in di Helle gestürtzt / und
daselbst ewig gerädert. Daher Ovid. 4. Met. Fab. 10.

Volvitur Ixion & se sequiturque; fugitque;

Et Senec. in Agamem. v. 15.

Ubi ille celeri corpus evinctus rotae
In se resertur.

v. 516. *Müssen di Ohren des Midas.* Als Apollo und Pan
mit einander wegen ihrer Lieder stritten / gab Tmolus
dem Apollo / Midas aber dem Pan den Preiß. Dahero ihm
Apollo Esels-Ohren ansetzte. Ovid. 11. Metam. andere
dichten: Er habe des Marsyas Gesang des Apollo vorgezogen.

v. 517. *Der Arachne verächtlich Gespinste.* Diese wolte in
der Webe-Kunst der Minerva nichts nachgeben / dahero
ward sie von ihr in eine Spinne verkehrt. Ovid. l. 6. Metam. Dahero Maro lib. 4. Georg. v. 246.

– – – – – – – – – – – – Invisa Minervae
In foribus laxos supsendit aranea casses.

Anmerckungen /

Zu der dritten Abhandlung.

v. 144. 147. 148. Di Alten pflegten di Särche mit Blumen
zubestreuen und zubekräntzen. Daher Augustus beim Vir-
gilio lib. 6. v. 883. Manibus date Lilia plenis, Purpureos
spargam flores. Und Juvenal. Satyr. 8. Di majoru umbris
tenuem & sine pondere terram, Spirantesque; crocos & in
urna perpetuum Ver & c. Tibull. lib. 11. Eleg. 4. Annua
constructo Serta dabit Tumulo. Die Grichen aber pflegten
sonderlich di Särche mit Eppich zu umbflechten. Plutarch
in Sympos.

v. 232. *Und mit knecht'schen Peutsch' und Rutten.* Von
Antigono dem Jüdischen Könige meldet / Xiphilin. lib. 49.
Daß ihn Antonius habe in ein Creutz anbinden und mit
Rutten schlagen lassen. Hernach aber hat er ihn / weil die
Juden den Herodes durchaus nicht für ihren König erken-

nen wolten / zu Antiochia enthäupten lassen. Josephus.
Antiqu. Judaic. lib. 15. c. 1.

v. 240. *Und mit blutt-rothen Purper-Farben.* Hieher ist
würdig zusetzen der berühmte Ort aus dem fürtreflichen
Geschicht-Schreiber. lib. 6. Annal. c. 6. Neque; frustra
praestantissimus sapientiae firmare solitus est, si reclu-
dantur Tyrannorum mentes, posse aspici laniatus & ictus;
quando ut Corpora Verberibus, ita saevitia, libidine, malis
consultis animus dilaceretur.

v. 258. *Zur gälben Zeres schwartzem Eydam fahren.*
Juvenal. Satyr. 10.

> Ad generum Cereris sine caede & sangvine pauci
> Descendunt Reges & sicca morte Tyranni.

v. 404. *Du Eros thu uns nur.* Wir haben bey den Ge-
schicht-Schreibern unterschiedene Exempel / daß bei letzter
Verzweifelung di Herren sich ihre Knechte oder freygelassene haben hinrichten lassen. Also muste Pindarus C. Cassium aus des siegenden Julii Caesaris Händen erretten.
Valer. Maxim. lib. 6. c. 2. n. 4. Ita Nero ferrum jugulo
adegit juvante Epaphrodito. Sveton. in vit. Neron. c. 49.
Worbey er dieses lächerliche von ihm erzehlet: modo Spo-
rum hortabatur, ut lamentari ac plangere inciperet: modo
orabat, ut se aliquis ad mortem capessendam Exemplo ju-
varet. Besihe ihn auch daselbst c. 47. am Ende.

v. 405. *Stoß den geweyhten Dolch.* Di Römer pflegten
nicht alleine dieselben Schwerter oder Dolche / damit etwas
denckwürdiges vollbracht war / oder damit sie was zu vollbringen meinten / den Göttern zu wiedmen / wie Vitellius den
Dolch / darmit sich Otho erstochen dem Marti. Sveton. in Vi-
tell. c. 10. Nero den Dolch des Scevini Iovi Vindici. Tacit. 15.
Ann. c. 74. Sondern auch dieselben / wormit sie sich selbst umb-
bringen wolten. Sic Caligula tres gladios in necem suam prae-
paratos Marti Ultori consecravit. Sveton. in Calig. cap. 24.

v. 424. *Rom rühm't di Knechte noch.* Es mangelt auch
nicht an Exempeln / daß sich derogleichen treue Personen
bey anderer Holtzstössen selbst getödtet. Also meldet von
dem Begräbnüsse Keysers Othonis Tacit. lib. 2. Hist. cap. 49.
Quidam militum juxta rogum interfecere se, non noxa
neque; ob metum, sed aemulatione decoris & caritate Principis. ac postea promiscue Bedriaci, Placentiae aliisque; in

Castris celebratum id genus mortis. Ebenfals hat auch bey
der Agrippinen Holtzstoß ihr freygelassener Mnester sich
erstochen. Tacit. 14. Ann. c. 9. diese allhier erzehlte Treue
des Eros, beschreibet Plutarch. in vit. Ant. p. 458.

v. 466. *Zerbeitzte Perlen.* Unter den Kostbarkeiten Cali-
gulae werden auch von Sveton. in Calig. c. 37. gerühmet
pretiosissimae Margaritae aceto liuqefactae. Wiewol derogleichen kostbare Perlen-Träncke Horat. l. 2. Serm. auch
einem Comedianten des Aesopi Sohne zueignet.

v. 558. *Mein Leib werd' auf die Glutt auf Römisch.* Allerhand Arten / wohin di Todten gethan worden / erzehlet
Cicero lib. 1. Tuscul. quaest. ad fin. Condiunt Aegyptii
mortuos & eos domi servant. Persae etiam cera circum-
litos condiunt, ut quam maxime permaneant diuturna Corpora: Magorum mos est, non humare Corpora suorum, nisi
a feris sint antea laniata: in Hircania plebs publicos alit
canes, optimates domesticos. Nobile autem genus canum
illud scimus esse, sed pro sua facultate parat, a quibus
lanietur. Hieher gehöret auch / was von der Poppaeae
Begräbnüsse Tacitus l. 16. Ann. c. 6. ungewöhnliches erzehlt: Corpus non igni abolitum, sed Regum externorum
consvetudine, differtum odoribus conditur. Tumuloque;
Juliorum infertur.

v. 565. *Geb't mir noch einmal Wein.* Daß / als Antonius /
nachdem er sich den Dolch in di Brust gestochen / und in
der Cleopatra Schooß zu sterben zu ihr getragen ward / er
ihr / sich mit dem Keiser wo möglich zuvereinigen / besonders sich dem Proculejo zuvertrauen gerathen / wie auch:
daß er entweder aus Durst / oder: daß er desto eh sterbe /
Wein begehrt / und gebraucht; erzehlt Plutarch. d. l. p. 459.

Anmerckungen /

Zu der vierdten Abhandlung.

v. 6. *Ich habe selbst den Dolch ihm aus der Brust gezogen.*
Als Antonius ihm den Dolch in di Brust gestossen / und
halb todt zur Cleopatra getragen ward / ertappte einer
seiner Trabanten Dercetaeus den bluttigen Dolch / flohe

zum Augusto, entdeckte selbten und erzehlte zum ersten
des Antonii Unfall. Plutarch. d. l. p. 459.

v. 49. 50. *Jedoch der Unfall zwinget uns bittre Thränen
ab.* Also hat auch Julius Caesar / als man seines Feindes
des grossen Pompeji Haupt zu ihn bracht / geweinet. Woher
gehöret der schöne Orth aus dem Lucano.

> Non primo Caesar damnavit munera visu,
> Avertitque; Oculos, Vultus dum crederet, haesit,
> Utque; fidem vidit sceleris, tutumque; putavit
> Jam bonus esse socer: lacrymas non sponte cadentes
> Effudit, gemitusque; expressit pectore laeto;
> Non aliter manifesta putans abscondere mentis
> Gaudia, quam lacrymis. — — — — — — —

Und Tacitus lib. 2. Annal. cap. 77. erzehlet vom Tiberio
und der Keiserin: Periisse Germanicum nulli jactantius
moerent, quam qui maxime laetantur. Und von dem dem
Othoni häuchelnden Rathe meldet er lib. 1. Hist. c. 45.
quantoque; magis falsa erant, quae fiebant, tanto plura
facere.

v. 84. *Wer sich nicht anstell'n kan.* Ludwig der Eilfte
König in Franckreich hat seinen Sohn Carolum VIII. mehr
nicht lernen lassen / als diese Lateinische Wortte. Qui nescit
dissimulare, nescit regnare. M. Serre en l'Inventaire de
France. part. 2. en Charles VIII. pag. 478.

v. 147. *Sich für den Herrn der Welt.* Ob wol di Römischen Keiser anfänglich gar den Nahmen eines Herren anzunehmen sich geweigert / dahero Tacit. lib. 2. Ann. c. 87.
von Tiberio meldet: Neque; tamen ob ea Parentis Patriae
delatum & antea Vocabulum adsumsit: acerbeque; increpuit eos, qui divinas Occupationes ipsumque; Dominum
dixerant. Welches auch vorher Augustus gethan / qui Do-
mini appellationem, ut maledictum & opprobrium semper
exhorruit. Sveton. in Octav. c. 23. So haben sie sich doch
hernachmals selbst Herren der Welt genennet. Dahero Antonius in l. 9. ff. de L. Rhodia von sich schreibt: ἐγὼ μὲν
τοῦ κόσμου κύριος. Ego quidem Mundi Dominus & c.

v. 164. *Sein steh'n und fallen bleib't Carthagens Stand
und Fall.* Mit dem Hector und Hannibal ist Troja und Car-
thago gestanden und gefallen. Dahero Senec. in Troad.
v. 123.

Columen patriae, mora fatorum
Tu praesidium Phrygibus fessis
Tu murus eras; humerisque, tuis
Stetit illa decem fulta perannos,
Tecum cecidit, summusque; dies
Hectoris idem Patriaeque; fuit.

v. 190. *Wie sie und Julius schon einmal hat geschauet.*
Als Julius Caesar die Cleopatra wider ihren Bruder Ptolomaeum ins Königreich einsätzte / ward er unversehens von diesem und demselben / di den grossen Pompejum umbbracht / im Königlichen Schlosse umbsessen / aus welcher grossen Gefahr er sich mit geringer Hülffe durch Brand und schwimmen errettete. Florus. lib. 4. cap. 2. n. 58. Hirtius de Bell. Alexandr.

v. 202. *Den grossen Rath der Stadt zu Röm'schen Bürgern machen.* Daß dieses eine grosse Ehre sei gewest / erhellet ex Tacit. lib. 13. Ann. c. 54. ubi Nero Legatos Germanorum Civitate donavit. Noch mehr ex Sveton. Octav. c. 40. Civitatem Romanam parcissime dedit. Tiberio pro cliente graeco petenti rescripsit. Non aliter se daturum, quam si praesens sibi persvasisset, quam justas petendi causas haberet. Et Liviae pro quodam tributario Gallo roganti, civitatem negavit, immunitatem obtulit: affirmans, se facilius passurum fisco detrahi aliquid, quam Civitatis Romanae vulgari honorem.

v. 224. *Könt' es mit ihr gesperr't des Janus Tempel schaun.* Dieses Tempels Aufschlüssung war ein Kriegs-; seine Zuschlüssung ein Fridens-Zeichen. Livius lib. 1. dieser ist aber nur dreimal gesperret worden / einmal vom Numa, das andermal vom T. Manlio Torquato Cos. nach dem ersten Carthagischen Krige / das dritte mal von Augusto nach dieser Besiegung des Antonii. Sveton. in Octavio c. 22. Rosin. Antiqu. Rom. lib. 2. c. 3. p. 208. Dahero Horat. lib. 4. Od. 14. vom Augusto:

— — — — — — Vacuum duellis
Janum Quirini clausit.

Damals hat auch Augustus Geld pregen lassen mit dieser Uberschrifft: PAX ORBIS TERRARUM. Taubm. Comm. ad v. 298. lib. 1. Aeneid. Virg. p. n. 360.

v. 232. und v. 325. *Man laß' ihr Bild zum Schein' in Venus Tempel stell'n.* Als nach diesem Siege Augustus nach Rom kommen / hat er der Cleopatra goldenes Bildnüs in den Tempel der Venus gestellet. Xiphilin. Epit. Dion. lib. 51. p. m. 65.

v. 263. *Das schwebend-hohe Nest des Papegoyens.* Hiervon besihe das sinn-reiche 79ste Symbolum des Saavedra; welches er selbst also auslegt: Psittacus Avis est admodum sincera & candida, quod magnorum Ingeniorum est proprium. Attamen candor illius decipi se non sinit, quin potius tempori dolos novit antevertere, adeo ut serpentis, animalis etiam astutissimi & maxime prudentis illudat artes: nam ut ab insidiis illius nidum suum tueatur, mirabili sagacitate eum ex altissimis & tenuissimis arborum ramis suspendit, ut si forte per illos serpens tentarit adrepere ad enecandos pullos, suomet pondere deorsum decidat. Ita decet artem arte, Consilium Consilio illudere.

v. 365. *Gott / Keiser / Herr der Welt.* Denn gantzen Innhalt dieser Rede der Cleopatra gegen dem Augusto erzehlet Xiphilin. ex Dion. lib. 51.

v. 391. *Hat mein Thyraeus ihr.* Dieser war ein verschlagener Freygelassener des Augusti, welcher von diesem zur Cleopatra geschickt ward / umb sie auf seine Seite zubringen. Als er aber mit Cleopatra mehr / als andere / Gespräche hielt / auch von ihr hoch geehret ward / kam er in verdacht beim Antonio. Dieser ließ ihn stäupen / und schickt ihn dem Keiser zurücke / meldende: daß dis wegen seiner Hoffart geschehen / schrieb ihm auch hierbey: So es Augustus übel empfinde / hette er auch seinen Freygelassenen Hipparchum bei sich / dem möchte er dergleichen thun. Plutarch. in Vit. Ant. p. 456.

v. 397. *Man gibt di Schlüssel hin zu Ptolomaeus Schätzen.* Von diesem Schatze meldet Sveton. in Octav. c. 41. Invecta urbi Alexandrino triumpho regia gaza, tantam copiam nummariae rei effecit, ut foenore diminuto plurimum agrorum pretiis accesserit. Paul. Orosius: ut duplicia rerum venalium pretia statuerentur. Sonst erzehlet Plutarch. in Anton. p. 462. Es habe damals Cleopatra Augusto daß Verzeichnüs des Schatzes gegeben / als aber ihr Bedienter einer Selevcus sie einiger Verhölung beschuldiget / sey sie ihm in die Haar gefallen und habe ihn geschlagen / meldende: daß sie bloß

etliche Geschäncke der Octaviae und Liviae zu bringen ihr
vor enthalten.

v. 463. *Du Venus uns'rer Zeit.* Von Cleopatra erzehlet
Plutarch. ibid. p. 421. Sie sey auf dem Flusse Cydmus dem
Antonio in einem vergoldeten Schiffe mit Purpernen Segeln
und silbernen Rudern / begleitet von allerhand Seiten-
Spiele entgegen geschifft: sie aber habe unter einem Gold-
gestückten Zelte in der gestalt / wie die Venus gemahlt
wird / gelegen. Umb Sie herumb hetten Knaben wie Cupi-
dines ihr Lufft zugefachet. Ihre Dienerinnen hatten / wie die
Wasser-Nimfen und Gratien bekleidet / rudern helffen; am
Rande aber wehre allerhand wolrichend Rauchwerck ange-
zündet worden. Das an dem Ufer häufig Sie begleitende
Volck aber habe vorgegeben: Es zihe die Venus zu dem
Baccho der Wolfahrt Asiens halber zu Gaste.

v. 524. *Wo man den schimpff't der's übel mein't.* Bey
diesen Wortten ist anzumercken würdig / daß Eduard der
dritte / König in Engelland / als einmals der Gräfin von
Salisberick Nahmens Adelheide unter dem Tantz ein blaues
Knieband sich auf-lößte und auf die Erde hieng / ihr selbst
solches mit den Händen aufgehoben. Nachdem aber di An-
wesenden darüber lachten / und di Gräfin scham-roth ward /
fieng der König eben diese Worte überlaut an: Honni soit,
qui mal y pense. Hierbey meldende: daß gar bald dieselben / so dieses Band verlachten / es mit grosser Ehrerbittung
zu empfangen begehren würden. Massen er auch hierauf
im Jahr 1351. den berühmten Orden de la jattiere oder des
Kniebandes gestiftet. Limnaeus de jure publ. lib. 6. cap. 2.
n. 25. 26.

v. 535. *Wir dörffen Kelch und Ruh-Statt nicht verstecken.*
Hieher gehöret der schöne Orth aus des Senec. Hippol. v. 510.

> Non in recessu furta & obscuro improbus
> Quaerit cubili, seque; multiplici timens
> Domo recondit: aethera ac lucem petit,
> Et teste Coelo vivit.

Ein denckwürdiges Exempel der offt furchtsam veränder-
ten Ruh-Städte hat uns vor weniger Zeit Engelland vor-
gestellt.

v. 545. *Das Haar mit Staub anfärben.* Wie ietzo die
Haare weis; also wurden sie / von dem Römischen Frauen-

Zimmer roth angefärbet. Dahero Valer. lib. 2. c. 1. summa
diligentia capillos cinere rutilabant. Endlich kaufften sie
auch gar von den Deutschen röthliche Haare und setzten
sie / wie itzo nach gar gemein / auff. Dahero Ovid. ad
puellam:

> Jam tibi captivos mittet Germania crines,
> Culta triumphatae munere gentis eris.

Anmerckungen /

Zu der fünfften Abhandlung.

v. 19. *Und frischen Ceder-Safft.* Von dieser Einbalsami-
rung der Leichen schreibet Plinius lib. c. 11. Primus sudor
aquae fluit canali, hoc in Syria Cedrium vocatur, cui tanta
vis est, ut in Aegypto Corpora hominum defunctorum eo
perfusa serventur. Et lib. 24. c. 5. Cedri succus, ex ea
quomodo fieret diximus magni ad lumina usus, ni capiti
dolorem inferret, defuncta Corpora incorrupta aevis servat,
viventia corrumpit, mira differentia, cum Vitam aufferat
spirantibus, defunctisque; pro vita sit.

v. 70. *Ein Fürst stirbt muttig.* Senec. Troad. v. 157.

> – – – – – – Felix Priamus!
> Felix quisquis bello moriens
> Omnia secum consumta videt.
>
>   Sveton. in Tiber. c. 62.

v. 105. *Nem't hin des Dolabellen Hand.* Plutarchus in
Vita Antonii p. m. 462. berichtet: daß damals unter Augusti
Freunden ein junger Römer Cornelius Dolabella gewest /
welcher sich in Cleopatren verlibt / und daher ihr heimlich
zu wissen gemacht: daß der Keiser in drey Tagen nach Sy-
rien sich aufmachen / sie aber mit den Kindern in Italien
schicken wolle.

v. 156. *Mit hoher Häupter Blutte.* Dis ist die Politische
Lehr beim Strada de Bell. Belg. dec. 1. lib. 7. p. m. 316.
Dum plectuntur Capita, blande Corpus haberi & consopiri
debet, ne, si se commoveat, agitatione sui facile ictus a
capite declinetur.

v. 182. *Das die Verdammten oft eh' als ein Blitz verzehrt.*
Es ist fast aller Geschichtschreiber einhellige Meinung: daß /
als Cleopatra gesehen: daß sie den August durch di Liebe
nicht so / wie di andern / fangen könte / und er sie nach
Rom schicken wolte / habe sie ihr in einem Korbe unter
grossen Feigen eine Schlange / so von den Lateinern Aspis
genennt wird / zu tragen / hernach sich selbte in einen Arm
stechen lassen; massen Augustus auch hernachmals zwei
Merckmale der Stiche / als auch von der Cleopatra Zimmer
gegen der See eine Spure einer krichenden Schlangen gefunden. Plutarch. d. l. p. 463. 464. wiewol auch unterschiedene
der Meinung sind: daß sie sich mit einer vergifteten Har-
Nadel in den Arm gestochen. Xiphilin. ex Dion. lib. 51. p.
m. 63. Sonst berichtet Wolf Franzius in hist. Anim. l. 4. c. 2.
Daß dieser Schlange Stich nur als ein kaum sichtbarer Nadel-
Stich sei / aber tödlich und unheilbar / also daß ein Mensch
geschwind hierauf sterbe / massen denn Cleopatra zuvorher
mit fleiß an den Verdammten allerhand Arten des Todes
versuchet / und diese für di leichteste und geschwindeste
erfunden auch erkiset. Ja er meldet; daß ob zwar diese
Schlange sehr giftig und schädlich sei / sie dennoch in Egypten
also gekirret werde: daß di Kinder darmit in Gebauern spielen / und zu den lockenden kommen. Wider dis sol eine
kräftige Artzney Essig sein / massen Plin. lib. 23. cap. 1.
erzehlet: daß einer / der Essig getragen / sei derogestalt
gestochen worden / habe aber nichts gefühlet / bis er den
Eßig von sich gethan.

v. 213. *Es bringet schlechten Ruhm.* Tacit. de mor. Germ.
c. 14. Pigrum quinimo & iners videtur sudore acquirere,
quod sangvine possis parare.

v. 222. *Ich sterbe! folg' auch also rühmlich nach.* Als sich
Cleopatra entleibet / sind ihr diese zwei auch also nachge-
folgt / und ist Iras schon todt bei den Füssen; Charmium
aber halbtodt und schon fallende von den Römern ange-
troffen worden. Plutarch. all. loc. p. m. 463.

v. 269. *Die Aegeln alles Gift's di Psyllen.* Psylli sind Völcker im innern Lybien gewesen / der Garamanten Nachbarn /
von Psyllo einem Könige also genennt. Diese haben eine
Schlangen-tödtende Krafft und verjagenden Geruch bey sich
gehabt: also daß sie auch di neugebornen Kinder den giftig-
sten Schlangen vorgeworffen / umb hierdurch ihrer Weiber

Keuschheit / und ob dis auch ihre wahrhaffte Kinder wären /
zuversuchen. Plin. lib. 7. c. 2. Ja es meldet Xiphilin. ex
Dion. lib. 51. p. 63. 64. daß di Schlangen gar von dieser
Völcker Kleidern verletzt worden / und ob di Schlangen sie
zwar gestochen / habe es doch nichts geschadet. Uber dis
haben sie auch aus denen vergifteten Menschen alles Gifft
aussaugen können / wenn sie nur nicht schon todt gewest.
Dahero auch Augustus bey der Cleopatra diese / aber vergebens / gebrauchet. Sveton. in Octav. c. 17. Massen auch
Plutarch. im Leben Catonis erzehlt: daß dieser als er durch
Lybien gereist / Psyllos mit sich geführt / theils di Schlangen-
Stiche zu heilen / theils di Schlangen durch ihren Gesang
einzuschläffen. Von dieser Artzney schreibt Cornel. Celsus
in V. denckwürdig: Psyllos non habere scientiam adversus
venenum praecipuam, sed audaciam usu ipso confirmatam,
qua vulnera exugunt: namque venenum serpentis non gustu,
sed in vulnere nocet: ergo quisquis exemplum Psylli secu-
tus exuerit, & ipse tutus erit, & tutum hominem praestabit.

v. 310. *Und einer Spanne Ruhm für tausend Jahre schätzt.*
Also redet denckwürdig der grosse Spanische Feld-Hauptmann Consalvus beim Guicciardini im 6. Buche der Wel-
schen Geschichte auf dem 169sten Blate / seine Obersten /
welche gegen Capua für den Frantzosen zu weichen riethen /
an: Desiderare più tosto d'havere al presente la sua sepol-
tura un palmo di terreno più avanti, che col ritirarsi à
dietro poche braccia allungare la vita cento anni. Er wolte
lieber eine Spanne-lang Erde besser hervor begraben sein /
als durch zurückweichung etliche Ellen lang sein Leben auf
hundert Jahr verlängern.

v. 315. *Vielmehr lasst uns itzt selbst ihr Bild.* Daß Augustus im Triumph zu Rom der Cleopatra Bild / an dessen
Arme eine Schlange anbieß / habe vortragen lassen / berichtet Plutarch. in Vit. Anton. p. 464. Worvon Propertius:
Brachia spectavi fixis admorsa Colubris.

v. 320. *Daß es kein Bildnüs nicht Cleopatrens versehre.*
Eben daselbst meldet Plutarch. daß des Antonii Bildnüsse
zwar abgeworffen / Cleopatrens aber nicht versehret worden / welches ihr Freund Archibius vom Keiser für tausent
Talent zuwege bracht.

v. 323. *Gallus der den Nil zur Landvogtey sol haben.* Als
Augustus Egypten eingenommen / wolte er keinen Raths-

Herren / sondern nur einen gemeinen Römischen Edelmann
nemlich Cornelium Gallum zum Landvogte setzen / welcher
Praefectus oder Augustalis genennet ward; damit wenn
etwan ein Raths-Herr sie allzuscharff regierte / sie nicht auf
Neuerung des Regiments dächten. Massen er auch verord-
nete: daß kein Römer ohne sein ausdrückliches Verlaub in
Egypten zihen dörffte. Dio im 51. Buche. Tacit. lib. 1. hist.
c. 11. & lib. 12. Annal. 60. Welcher auch lib. 2. Annal. c. 59.
erzehlet: Tiberius cultu habituque; Germanici lenibus verbis
perstricto, acerrime increpuit, quod contra instituta Augusti,
non sponte Principis Alexandriam introisset. Nam Augustus
inter alia dominationis arcana, vetitis, nisi permissu, ingredi
Senatoribus, aut Equitibus Romanis inlustribus, seposuit
Aegyptum: ne fame urgeret Italiam, quisquis eam Provin-
ciam claustraque; Terrae ac maris, quamvis levi praesidio
adversum ingentes Exercitus insedisset. Dieser Gallus aber
ist von dieser neuen Ehre allzuhoffärtig worden / also: daß
er auch vom Augusto übel geredet / ihm selbst Seulen an
allen Orthen Egypten-Landes aufgerichtet / und seine Thaten
an di Pyramiden anzuschreiben befohlen. Worauff er hernach von seinem Freunde Largo verklagt vom Römischen
Rath aller Würde und Reichthumbs entsätzet worden / nach
welchem er sich selbst umbbracht. Xiphilin. ex Dion. lib. 53.
p. 71. Sveton. in Octav. c. 66.

v. 324. *Sol sie nebst dem Anton aufs prächtigste begraben.*
Sveton. in Octav. c. 17. p. m. 67. meldet hiervon: Ambobus
communem sepulturae honorem tribuit, ac tumulum ab ipsis
inchoatum perfici jussit. Uber dis meldet Plutarchus d. l. p.
464. Daß er nicht allein den Antonium und Cleopatram
prächtig und Königlich / sondern auch di Charmium und
Iras ehrlich begraben lassen.

v. 328. *Schif't auf di Krieges-Flott' Egyptens Wasser-*
Pferde nebst Nilus Ochsen. Hiervon meldet Xiphilin. lib.
51. p. 65. καὶ Καῖσαρ μὲν ἐπὶ τούτοις ἑορτὰς ἦγεν ἐφ' ἡμέ-
ρας συχνάς· καὶ ἵππος ποτάμος καὶ ῥινόκερως τότε πρῶτον
εἰσήχθησαν εἰς τὸ θέατρον. Der Keyser begieng wegen
seiner glückseligen Verrichtungen viel Tage feyerlich; in
welchen das Wasser-Pferd und das Thier Rhinoceros zum
erstenmal auf den Schauplatz kommen. Dieses letztere Thier /
so von Festo ein Egyptischer Ochse genennet wird / hat ein
klein Horn auf der Stirne / ein starckes aber auf der Nase /

mit welchem es wider den Elephanten stets kämpfet. Franz.
in histor. Animal. part. 1. cap. 11.

v. 332. *Durch das vertheilte Korn.* Eben dis meldet Sveton. in Octav. c. 41. und Tacit. l. 1. Annal. cap. 2. von
Augusto: militem donis, populum annona, cunctos dulcedine
otii pellexit.

v. 346. *Wo sol Antillus hin.* Plutarchus erzehlet an obigem Orthe / auf der 460. Seite. Antyllus des Antonii und
der Fulvia Sohn sei von seinem Lehrmeister Theodoro damals verrathen / und also von den Römern ermordet worden. Als nun also di Soldaten über ihm geschäftig gewest /
habe er selbst ihm einen köstlichen Edelstein / der ihm am
Halse gehangen / abgenommen und ihn in seinen Gürtel ver-
stecket. Westwegen ihn Augustus / als er es umbgestanden /
ans Creutze schlagen lassen. Svetonius in Octavio c. 17 meldet dieses noch ferner: Antonium juvenem, majorem de duo-
bus Fulvia genitis, simulacro D. Julii, ad quod post multas
& irritas preces confugerat, abreptum interemit. Denn der
Fürsten Bilder wahren sichere Schutz-Seulen / wie ex tit. C.
de his qui ad statuas zu sehen. Besihe hiervon di schöne
Rede C. Cestii beim Tacito l. 3. Ann. c. 36.

v. 379. *Den blauen Himmel mahl't mehr nicht als eine
Sonne.* Cleopatra schickte ihren und Julii Caesaris Sohn Caesarionem, welcher dem Julio Caesari gantz ähnlich gewest /
(wiewol / wie aus Sveton. vita Julii c. 52. zusehen / di Römer ihn meist dafür nicht erkennen wollen /) mit einem
grossen Schatze durch Mohrenland in Indien. Er ward aber
auch von seinem Lehrmeister mit Vorwand: daß ihn Augustus
zum Königreich beruffte / auf di Insel Rhodos zurücke ge-
locket. Als nun Augustus seinetwegen rathschlagte / fieng der
Weltweise Arius an:

Caesaris in multis nomen non expedit esse.

Darauf ihn auch Augustus tödten ließ. Plutarchus in vit.
Anton. p. 460. 461. Sveton. in Oct. c. 17. Dieses des Arii
Meinung ist des Aegysthi beim Senec. in Agamemn. v. 257.
gleich: Nec regna socium ferre, nec taedae sciunt.

v. 383. *Er rühm't sich des Anton Gefährten.* Antonius
enim Caesarionem collegam Regni assumsit Plutarch. in Vit.
Ant. p. 442.

v. 388. *Das ein groß Geist beseel'n.* Magnum imperii Cor-

pus magna animandum est mente, multis tuendum est manibus. Strada. dec. 1. lib. 1.

v. 395. und v. 401. 402. Dieses erzehlet deutlich Sveton.
in Octav. c. 18. Per idem tempus Conditorium & Corpus
magni Alexandri, cum prolatum e penetrali subjecisset oculis, Corona aurea (Schildins legit: laurea) ac floribus adsper-
sis veneratus est: consultusque, num & Ptolomaeum aspicere
vellet, Regem se voluisse videre, ait, non mortuos. Welches
eben also erzehlet Xiphilin. lib. 51. p. 64. absonderlich aber
meldet: Εἶδεν αὐτὸ (τὸ τοῦ Ἀλεξάνδρου σῶμα) καὶ προ-
σήψατο, ὥστέ τι καὶ τῆς ῥινὸς, ὥς φασι θραυσθῆναι. Augustus habe des grossen Alexanders Leib gesehen und angerüh-
ret / also: daß er ihm auch ein wenig di Nase zerbrochen hette.
Sonst erzehlet noch von diesem Begräbnüsse Leo Africanus lib.
8. dis: Neque; praetermittendum videtur in medio Alexan-
driae ruderum, aediculam instar Sacelli constructam adhuc
superesse, insigni sepulchro, magno a Mahumetis honore affec-
to, memorabilem, quo Alexandri magni Corpus, summi Pro-
phetae & Regis, velut in Alcorano legunt, asservari contendunt.

v. 401. *Für dessen todtem Bild'.* Von C. Jul. Caesare erzehlet Sveton. in ejus vita c. 7. animadversa apud Herculis
templum Magni Alexandri imagine, ingemuit; & quasi per-
taesus ignaviam suam, quod nihil dum a se memorabile
actum esset in aetate, qua jam Alexander orbem terrarum
subegisset. Gleichmässige Exempel sätzet daselbst bey Be-
megger: Themistoclem quoque; Trophaea Miltiadis dormire
non sinebant; Theseo noctu in somnis gesta Herculis occur-
rebant, & interdiu concitabat aemulatio, stimulabatque;
edere paria agitantem. Etenim ornamentis honorum incita-
tur imitatio: & virtus aemula alitur exemplo honoris alieni.
Symmachus. l. 10. Epist. 25.

v. 447. *Sein geweihter Fluß* / und.

v. 460. *Gab meinem Tempel ab.* Die Heyden haben auch
di Flüsse / für heylig / geweyht / ja für Götter gehalten / besonders die Römer di Tiber. Dahero ihn Maro. lib. 8. Aeneid.
v. 31. also beschreibt:

> Huic Deus ipse loci fluvio Tyberinus amoeno,
> Populeas inter senior se attollere frondes
> Visus. eum tenuis glauco velabat amictu
> Carbasus, & crines umbrosa tegebat arundo.

Massen ihn daselbst auch Aeneas v. 72 seqq. anrufft:

> Tuque; o Tybri, tu o Genitor cum flumine sancto
> Accipite Aenean & tandem arcete periclis.
> Adsis, o tandem, & propius tua Numina firmes.

Daß auch den Flüssen sein Tempel und Altäre gebaut worden / erhället ex Tacit. 1. Annal. c. 79. spectandos etiam
religiones Sociorum, qui sacra & Lucos & Aras patriis amni-
bus dicaverunt: quin ipsum Tiberim nolle prorsus accolis
fluviis orbatum minore gloria fluere. Und ist bei den Ge-
schichtschreibern berühmt / der in der Egyptischen Stadt
Nilus dem Flusse Nilus zu ehren gebaute Tempel.

v. 476. *Wird noch viel Adler bissen ein.* Dieses zielet in-
sonderheit auf di drey Adler / welche di Deutschen dem
Quintilio Varo abgenommen / den sie mit dem gantzen
Heere dreyer Legionen erschlagen: Hac nunciata (Augustus)
Excubias per Urbem indixit, ne quis tumultus existeret, &
Praesidibus Provinciarum prorogavit imperium, ut & a pe-
ritis & assvetis socii continerentur. Vovit & magnos ludos
Jovi Opt. Max. SI REMPUBLICAM IN MELIOREM
STATUM VERTISSET: quod factum Cimbrico Marsicoque;
bello erat. Adeo namque; consternatum ferunt, ut per continuos menses barba capilloque; summisso caput interdum
foribus illideret, vociferans: Quinctili Vare, Legiones redde:
diemque; cladis quotannis moestum habuerit ac lugubrem.
Svet. in Octav. c. 23 daher hingegen / als Germanicus von den
Bructeris einen sec. Tacit. 1. Annal. c. 60. und von den Marsis
den andern verlohrnen Adler widerbekommen / sec. Tac. 2.
Annal. c. 25. er ferner cap. 41. meldet: Fine anni Arcus
propter aedem Saturni ob recepta signa cum Varo amissa
ductu Germanici, auspiciis Tiberii; & aedes fortis Fortunae
Tiberim juxta in hortis, quos Caesar Dictator populo Rom.
legaverat; Sacrarium genti Juliae effigiesque; D. Augusto
apud Bovillas, dicantur.

v. 480. *Wir haben auch die Segel nicht gestrichen.* Ob zwar
der grosse Alexander über di Donau gesätzt / hat er doch
die Deutschen zubekriegen sich nicht unterfangen. Massen
von der Deutschen damalig unverschrockenem Gemütte / Curtius lib. 2. denckwürdig erzehlet: Huc loci venere Legati a
caeteris Danubii accolis, a Syrmo Triballorum Rege, atque;
Germanis ad Alexandrum, ut cum eo Amicitiae foedus ini-

rent. Quibus in fidem & Amicitiam acceptis, e Germanis
quaesivit: Quidnam in humanis rebus prae caeteris extimes-
cerent, ratus nominis sui magnitudinem ante omnia ipsis
formidolosam videri. Illi, hoc se inprimis timere responde-
runt, ne forte in sese aliquando Coelum rueret. Nichts weniger ist zurühmen der Deutschen Gesandten Hertzhafftig-
keit unter dem Keiser Nero beim Tacit. lib. 13. Ann. c. 54.
die als / sie in dem Pompejischen Schauplatz die Ursache der
nach Würden unterschiedenen Gestüle erfahren: Nullos mortalium armis aut fide ante Germanos esse, exclamant, de-
grediunturque; & inter Patres considunt.

    v. 492. 493. *Es werd noch eine Welt entstehen / ihm wird
di Sonn nicht untergehen.* Weil di Welt steht / hat kein
Haus weiter als das hochlöblichste Haus Oesterreich geher-
schet. Massen Villalpand. Praefat. in Ezechiel. p. 7. wahr
geredet: Sol die noctuque; in Philippico Regno nunquam
cernit Occasum. Ja der Frantzose Monsieur de Silhon en son
Ministre d'Estat livr. 3. disc. 4. muß die Oesterreichische
Hoheit mit diesen nachdencklichen Worten beehren / und
nennen: cette haute puissance & cette vaste domination,
pour la quelle le Ciel n'a point d'Horizon, ny la terredes
limites. Das ist: dieselbe Hoheit Macht und weite Herr-
schafft / für welche der Himmel keinen Endigungs-Zirckel /
di Erde keine Gräntzen hat. Hieher und besonders zu der
neuerfundenen Welt und andern Inseln / so dem Hause
Oesterreich unterthan sein / gehören di nachdencklichen
Wortte Senecae in Medea. vers. 374.

        – – – – – – – Venient annis
        Secula seris, quibus Oceanus
        Vincula rerum laxet, & ingens
        Pateat Tellus, Tiphysque; novos
        Detegat Orbes; nec sit Terris
        Ultima Thule.

ZUR TEXTGESTALT

In der vorliegenden Ausgabe wird die *Cleopatra* Lohensteins
in der Urfassung von 1661 zum ersten Mal in geschlossener
Form neu gedruckt.

Die Wiedergabe folgt dem nur noch in wenigen Exempla-
ren überlieferten Erstdruck:

Daniel Caspers | Cleopatra, | Trauer-Spiel. | Breßlau | / | Auf
Unkosten Esaiae Fellgibels / Buchhändlers daselbst. / 1661.
(Exemplar der Universitätsbibliothek Tübingen, Sign.
Dk XI 30 bc.)

Dem Haupttitel mit Vignette ist ein Doppelblatt mit einem
Kupferstich vorgeklebt, der die königliche Totengruft mit
Cleopatra und ihren Dienerinnen offenbar in der ersten
Szene der fünften Abhandlung zeigt (in der vorliegenden Ausgabe faksimiliert). Auf der Rückseite des Titels befindet sich
das Motto aus Tacitus (l. 3. Hist. c. 66), sodann auf 4 Seiten
eine Widmung in lateinischer Sprache an den Magistrat der
Stadt Breslau; anschließend beginnt der Text mit einem
kurzen Inhaltsverzeichnis (vorliegende Ausgabe S. 7 f.), dem
Personenverzeichnis (S. 9 f.) und einer Inhaltsangabe der
einzelnen 5 Abhandlungen (S. 11 ff.). Darauf folgen im
Tübinger Exemplar 4 ganzseitige Porträtkupfer, gestochen
nach antiken Münzen, die Cleopatra, Caesar, Antonius und
Octavian darstellen. Der Wortlaut des Dramas schließt sich
an (Erstdruck Bogen A–G 3) und umfaßt 102 unpaginierte
Seiten. Es folgen auf 41 Seiten die Anmerkungen Lohensteins zum Text (vorliegende Ausgabe S. 139 ff.) sowie ein
eineinhalbseitiges Errataverzeichnis zum Dramentext und zu
den Anmerkungen.

Der Wortlaut unseres Textes folgt der Urfassung und
bietet einen philologisch getreuen Abdruck der 1. Fassung
des Dramas, wie sie bis zum Erscheinen der 2. Fassung im
Jahre 1680 – also nahezu 20 Jahre – dem Publikum im
Druck und auf der Bühne geboten wurde. Die Eigenwillig-
keiten des Originals in Schreibweise und Interpunktion
wurden gewahrt, um dem Benutzer die möglichst reine Form

der Urfassung, nicht aber einen Mischtext aus dem Erstdruck und der Zweitfassung bieten zu können. Auf die Verzeichnung der teilweise sehr umfangreichen Varianten der tiefgreifend umgestalteten Fassung des Jahres 1680 mußte im Rahmen dieser Ausgabe verzichtet werden; der interessierte Benutzer findet sie in der von K. G. Just edierten Ausgabe der *Cleopatra* (Bibliothek des Literarischen Vereins in Stuttgart, Band 294: Daniel Casper v. Lohenstein, *Afrikanische Trauerspiele*, Stuttgart 1957) und kann sich dort über die weitere Umformung des Trauerspiels informieren.

In der vorliegenden Ausgabe wurden die vom Dichter selbst im Errataverzeichnis aufgeführten Druckfehler beseitigt, einige offensichtliche Versehen (uicht > nicht, ältereu > älteren, Seamen > Saamen, Cleopaerens > Cleopatrens, offe > offt, todte Meet > todte Meer, Eras > Eros, Hochmuths > Hochmuths u. ä.) korrigiert, ʒ als r geschrieben, die Abbreviaturen m̄ > mm, n̄ > nn, ẽ > en, ɔ > us, q́ > que aufgelöst und å, õ, ů = ä, ö, ü; æ = ae gesetzt. Die Sprechernamen wurden durchgängig ausgeschrieben, die lateinischen Zitate in den Anmerkungen ohne Akzente wiedergegeben, Ergänzungen des Herausgebers in eckige Klammern gesetzt. Auf weitere Eingriffe in den Text – etwa mögliche Korrekturen in Anlehnung an den Druck von 1680 – wurde verzichtet.

Anstelle der zeitgenössischen Fraktur wurde Antiqua gesetzt, auch wurden unterschiedliche Schrifttypen im Originaltext (z. B. bei fremdsprachlichem Text, bei Eigennamen) bei der Wiedergabe nicht kenntlich gemacht. Da im Original für I und J ununterschieden nur eine Frakturtype gebraucht ist, wurde bei der Transponierung in Antiqua I und J jeweils entsprechend dem im Original bei der Kleinschreibung üblichen Buchstaben gewählt.

Die Interpunktion des Originals wurde in allen Fällen beibehalten, selbst auf die Gefahr hin, daß an einigen Stellen möglicherweise fehlerhafte Interpunktion konserviert wurde. Jedoch erschien ein Eingriff in die Zeichenstruktur des Textes nach heutigen Gesichtspunkten nicht ratsam, da auf diesem Wege die getreue Wiedergabe gefährdet würde. Lediglich wenige Punkte am Satz- bzw. Versende wurden ergänzt, wenn das Ende des Satzgefüges klar erkennbar war. Auf die Versehen in der Zeichensetzung weist Lohenstein selbst hin in seinem Vorsatz zum Druckfehlerverzeichnis. Dort heißt es: „Demnach im Druck unterschiedene Fehler noch eingeschlichen / habe ich für nöthig geachtet / dieselbigen / welche einestheils den Verstand tunckel machen / hieher zusetzen / die anderen geringeren / besonders die Irrthümer der punctation halber / wird ieder selbst vernünftig verbessern."

Die Anmerkungen zum Text der vorliegenden Ausgabe sind der Cleopatra-Ausgabe der 2. Fassung durch Felix Bobertag (Kürschners Deutsche National-Literatur Bd 36) entnommen. Auf historische Erläuterungen wurde im Hinblick auf Lohensteins eigene Anmerkungen zum Text verzichtet.

Ilse-Marie Barth

NACHWORT

Daniel Casper von Lohensteins *Cleopatra* wurde am 28. Februar 1661 in Breslau von den Schülern des angesehensten Gymnasiums, des Elisabethanums, erstmals aufgeführt. Der Text erschien gleichzeitig in dem größten Verlag der Stadt. Der Autor läßt seinen vollen (damaligen) Namen auf das Titelblatt setzen, er war kein Unbekannter. Seit vier Jahren wirkte er schon in Breslau als Rechtsanwalt. Er hatte sich im Herbst 1657 wohlhabend verheiratet, und in seinem Haus ging es „prächtig, freigebig und gastfrei" zu. Bereits während seiner Schulzeit auf dem Magdalenen-Gymnasium zu Breslau hatte der frühreife, hochintelligente Knabe die Aufmerksamkeit der Patrizier erregt und in dem Ratsherrn und Dichter Christian Hofmann von Hofmannswaldau einen Förderer gefunden. Bei Redeakten und Schulaufführungen hatte er damals geglänzt und schließlich auch eine Tragödie geschrieben, die sogleich – 1650 – vorgeführt wurde. Sie erschien sogar 1653 im Druck: *Ibrahim, Trauerspiel* – noch ohne Verfasserangabe. Hier wurde der Mensch im Bereich des Staatsgetriebes gezeichnet: umdroht von den Intrigen gewissenloser Machtmenschen, ausgeliefert der Willkür despotischer Herrscher. Dem gewissenhaften, anständigen Menschen blieb nur die Selbstbehauptung in einer stoischen Bereitschaft zu Leid, ja Tod. Ähnlich stellte es Lohensteins Landsmann Andreas Gryphius (1616-64) dar, und Gryphius galt dem jungen Anfänger als unmittelbares Vorbild. Auch bereits Opitz hatte diese Anschauung vertreten und durch seine Übersetzung der *Trojanerinnen* (1625) von Seneca auf eine antike Autorität hinsichtlich der Weltanschauung wie der Tragödie verweisen können. Der christlich gefärbte Stoizismus wirkte besonders von der holländischen Universität Leyden nach Deutschland hinüber, und wie viele andere an diesem Zentrum des geistigen Lebens in Europa den Abschluß ihrer Studien suchten, so hatte auch Lohenstein dort einige Zeit (1655) verbracht, nachdem er in Leipzig und Tübingen Jura studiert hatte.

Nach diesen Voraussetzungen erscheint der Leitspruch, den er nun 1661 seiner zweiten Tragödie, der *Cleopatra*, voranstellte, durchaus nicht ungewöhnlich. Er entnahm ihn den Historien des Tacitus (3. Buch, Kap. 66), wo, als die eingeschlossenen Anhänger des Kaisers Vitellius erwägen, ob sie kapitulieren oder aussichtslos weiterkämpfen sollen, ihre Entscheidung in die Sentenz zusammengefaßt wird: „Sterben müssen die Besiegten, sterben auch, die sich ergeben; allein darauf kommt es an, ob man den letzten Hauch unter Hohn und Schimpf von sich gibt oder in Tapferkeit." So wird in dem Trauerspiel der Freitod der Cleopatra auch von ihren beiden Dienerinnen als Vorbild aufgefaßt. Freiwillig folgen sie ihr, um durch ihren „Sterbensbund die Treue zu bewähren". Der Kaiser Augustus bestimmt darauf voll Hochachtung, „daß jed' ein Ehrenmal in diesem Tempel hab'". Der toten Königin wird die Auszeichnung zuteil, weil sie ihre Ehre als ihr höchstes Gut gewahrt hat. Sie erkannte rechtzeitig die ihr gestellte Falle und vermied die tiefe Schande, als Gefangene im Triumphzug von Augustus den Römern vorgeführt zu werden. Mutig traf sie die Entscheidung und setzte sich die Giftschlange an die Brust. So erweckte sie auch im politischen Gegner Hochachtung, erwarb sich allgemeinen Nachruhm.

Denn dies eben war das höchste Ziel barocken Tuns und Trachtens. Der Bildhauer verewigte es in der Reiterstatue, wie Schlüter im Denkmal des Großen Kurfürsten als Triumphator. Der Maler zeigte sein Modell im Prunkkostüm, wenn möglich mit einem Umhang drapiert und in gravitätischer Haltung. Der Dramatiker gestaltete die Katastrophe seiner eigenen Handlung zur imposanten Schaustellung, wie man „herzhaft stirbt". Antonius ersticht sich mit den Worten: „Wer rühmlich stirbt, der hat genug gelebt."

Es ist überhaupt bezeichnend für dieses Zeitalter, daß man das Leben als Schauspiel auffaßt. Jeder ist bestrebt, eine „Rolle zu spielen", sie möglichst eindrucksvoll vorzuführen, durch Wort und Gebärde sich Geltung zu verschaffen, ja um Beifall zu buhlen. Man genießt dabei sich selbst. Sogar eben der Stoizismus muß mithelfen, indem er Halt und Haltung verleiht. Von dieser Einstellung her wird auch das Drama betrachtet und gestaltet. Schon Martin Opitz betonte in der Vorrede zu seiner Übersetzung der *Troja-*

nerinnen die „Beständigkeit" (bei Seneca constantia) als die Haupttugend und ergänzte: „Solche Beständigkeit aber wird uns durch Beschauung der Mißlichkeit des menschlichen Lebens in den Tragödien zuvörderst eingepflanzt." Gerade in „jetzigen Zeiten", meinte er, sei es „vonnöten", daß man „das Gemüte" mit „Exempeln" von Beständigkeit „verwahre". Denn „indem wir großer Leute, ganzer Städte und Länder äußersten Untergang zum öfteren schauen und betrachten, tragen wir zwar, wie es sich gebühret, Erbarmen (misericordia) mit ihnen, können auch manchmal aus Wehmut die Tränen kaum zurückhalten; wir lernen aber daneben auch durch stetige Besichtigung so vielen Kreuzes und Übels, das anderen begegnet ist, das unserige, welches uns begegnen möchte, weniger fürchten und besser erdulden". Auch Paul Fleming kündet mit dem Lied *In allen meinen Taten,* das er bei Antritt seiner großen und gefährlichen Reise nach Persien verfaßte: „. . . so will ich unverdrossen in mein Verhängnis gehn, kein Unfall unter allen, soll mir zu harte fallen, ich will ihn übersteh'n." *Catharina von Georgien oder bewährete Beständigkeit* schließlich nannte Andreas Gryphius sein zweites Trauerspiel. Auf diese Selbstbehauptung also kommt es auch Lohenstein an. Sie kann sich freilich nur im „Verhängnis" erweisen, inmitten einer schicksalschweren, letztlich ausweglosen Lage. Und diese Ausweglosigkeit muß ungewöhnlich in Stoff und Farbigkeit, muß außerordentlich an Wucht, ja Grausamkeit sein. Stets sind die Betroffenen von hoher Stellung; der Hof bildet die Umwelt und bestimmt die Fallhöhe für den Sturz. Das Historische besitzt dabei keinen absoluten Eigenwert, liefert vielmehr nur das Material, welches zwar wichtig, bedeutsam, glanzvoll und gefährlich ist, aber doch nur dem Spektakulären dient. Dieses Schau-Spielhafte wird noch unterstützt durch eine reiche Ausstattung. Nicht nur die Kostümierung dürfte den Augen der Zuschauer einiges geboten haben, offensichtlich wird auch die Dekoration der Schaulust entgegengekommen sein. Der Isistempel in der Totengruft der Cleopatra, an die Opernbühne erinnernd, ist ganz auf Repräsentation gerichtet. Bereits Gryphius hatte die neue Kulissenbühne mit ihrer Verwandlungsmaschinerie ausgenutzt. Nun, in der Cleopatra wird gar zwölfmal der Ort gewechselt, wobei sieben verschiedene Szenerien verwendet werden.

So vermag auch die äußere Aufmachung Anregendes, Prunkvolles und Schauerliches in erregendem Wechsel zu bieten.

Dazu erhält die Handlung eine verstärkte Bewegtheit, indem Lohenstein seine Hauptfiguren nicht zu idealen Vorbildern erhöht, wie es Gryphius tat, sondern sie in Verstrickung geraten läßt durch ihre Leidenschaftlichkeit. Bei Gryphius unterliegt nur der Gegenspieler dem Getriebe seiner Affekte. Lohenstein aber gilt der Affektbereich als Grundlage allen menschlichen Verhaltens. Seine Hauptfiguren sind erfüllt von vitalen Energien, darin verwandt den Gestalten auf Bildern Rubens. Aufbrausend reagieren sie, gar leicht ist ihr Selbstgefühl beleidigt. Interessiert beobachtet man allgemein das Spiel der „Gemütserregungen"; sie machen, wie selbst der Schulmann Christian Weise meint, „in allen Szenen gleichsam das Leben aus". Man nennt sie den Quell aller Höchstleistungen wie aller Schandtaten. „Unser Leben würde ein rechtes Ebenbild des Toten Meeres abgeben und wie dieses sonder Bewegung und Frische, also jenes ohne einiges Tun und Nutzen sein, wenn uns die Gemütsregungen nicht von der erbärmlichen Schlafsucht aufmunterten, ja das betrübte Leben verzuckerten." So schrieb Lohenstein, und als Dramatiker erfüllte er die Meinung des Theoretikers, zum Poeten gehöre „insonderheit die Kunst, die Affekten zu bewegen und zu stillen". Weiter wird angeraten: „allemal lasse man die Affekte konträr auf einander folgen, daß die Zuschauer in immerwährender Veränderung [d. h. in steter Aufregung] gehalten werden". Explosiv äußert sich der Affekt, ähnlich wie die Raketen bei den im Barock so beliebten Feuerwerken; plötzlich ist er erloschen, und das zunächst aufgeblähte Ichgefühl sackt zusammen. Besonders bei der Liebesbrunst wird das von Lohenstein beobachtet und dargestellt.

Auf das gesamte Menschenbild hin aber gelten die Affekte nur als die stampfenden Rosse vor dem Wagen. Es ist aufgegeben, sie zu zügeln, zu „gubernieren" und „der Begierden Herr zu werden". Die feste Hand des Willens soll sie zu lenken. Doch auch der Wille ist nicht das Höchste. Denn gemäß der Ichgerichtetheit der Barockmenschen sieht er als personalistischer Machtwille nur egoistische Ziele. Der Verstand muß hinzukommen und auf einen würdigen Gegenstand hinsteuern, wozu auch das Gedächtnis hilft, das große Beispiele und weise Lehren lebendig erhält.

Um das Maß zu setzen gegenüber dem Wirbel der Begierden, verwendet Lohenstein in seinen beiden afrikanischen Trauerspielen eine Nebenfigur. Beidemal ist es ein Römer, dessen kühle Berechnung die politische Gegenhandlung bestimmt. „Ich bin ein Mensch wie du, doch der Begierden Herr", sagt verstehend und zugleich mahnend Scipio dem Exoten Masanissa in der *Sophonisbe*. In der *Cleopatra* treten der Kaiser selbst, Octavius Augustus, in der *Agrippina* Seneca in diesem Sinne auf. Doch erscheinen diese Figuren bei Lohenstein mehr als Kontrast denn als Ideal.

Mahnend betont Lohenstein, daß „die Vernunft auch der scharfsichtigsten Weltweisen, wenn selbte nicht von der göttlichen Vorsehung geleitet wird, ein Kompaß ohne Magnetnadel" sei. Seine Tragödie zeigt die Menschen in ihren Affekten verstrickt, durch blindwütige Machtgier verführt, bedrängt von unerwarteten Schicksalsschlägen, von einem unerbittlichen Verhängnis gestürzt – und trotzdem im Tod sich aufraffend. Wie Cleopatra wählt in *Sophonisbe* (1669) auch die numidische Königin den Freitod, um nicht von den Römern im Triumphzug vorgeführt zu werden. Sie sterben im Tempel, und kultische Zeremonien und orientalische Atmosphäre verleihen diesen überdimensionalen Frauengestalten einen effektvollen Rahmen. Steigern sich in diesen beiden Königinnen Herrscherwille und Liebesbrunst in verhängnisvoller Verstrickung, so setzt Agrippina im gleichnamigen Drama (1666) nur noch einseitiger die Mittel ihrer Erotik ein, um sich die Macht zu sichern. Welcher Unterschied zu der gottverbundenen Märtyrerin Catharina von Georgien bei Gryphius! Ihr steht selbst Ambre fern, die zum Opfer der Sexualgier des Sultans Ibrahim wird, in Lohensteins letztem Drama *Ibrahim Sultan* (1673).

Stets sind es Frauengestalten, deren Schicksal Lohenstein anzieht. Er will sie nicht zu Mustern aufhöhen, nicht wie die Jesuiten als Märtyrer verherrlichen. Eher Warnbilder errichtet er aus der Distanz eines scharf beobachtenden Kenners des politischen Getriebes. War er doch, seit 1668 Regierungsrat im Fürstentum Oels, 1670 als Syndicus in den Breslauer Rat berufen worden. Hofmannswaldau wirkte dort als regierender Bürgermeister. Ihm und dem Senat

hatte er die *Cleopatra* zugeeignet. Im gleichen Jahr adelte
der Kaiser Lohensteins Vater für ein Leben voll treuer
Pflichterfüllung als „wohlverordnetem Einnehmer der kai-
serlichen Gefälle zu Nimptsch". Von nun an führte auch der
Dichter das Adelsprädikat der Familie Casper. Die persön-
liche Verbundenheit mit dem Kaiser kam ihm zustatten, als
er 1675 in Wien die Interessen der um ihre Unabhängigkeit
besorgten Stadtrepublik gegenüber dem Habsburger Zen-
tralismus durchzusetzen wußte. Er hatte 1673 den noch un-
veröffentlichten *Ibrahim Sultan* dem Kaiser Leopold gewidmet, als dieser seine zweite Gemahlin Claudia Felicitas
heimholte und man damit rechnete, daß er durch Schlesien
käme. Daneben sind Lohensteins Beziehungen auch zum
schlesischen Herzogtum eng und vertraut; Widmungen seit
1653 *(Ibrahim Bassa)* zeugen davon. Daß Fürst und Hof Interesse an seinen Tragödien nahmen, beweist gerade die
Cleopatra, die nach der Uraufführung in zwei Wiederholun-
gen allein für den Brieger Hof gegeben wurde. Dem Erben
Georg Wilhelm übereignete er seine Übersetzung von Gra-
zians *Fürstenspiegel* (1672), bei dessen frühem Tod (1676)
verfaßte er einen doppelten Nachruf in poetischer Form und
als *Lobschrift*.

Überhaupt gehörte Lohenstein zu den berühmten und ge-
suchten Rednern seiner Zeit, die es liebte, jegliches Fest mit
einer sorgsam gefeilten Prunkrede auszustatten. Die dabei
angewandten rhetorischen Kunstgriffe, die aus der Antike
stammenden Figuren und Tropen, sind uns seit langem
fremd. Allzu sehr achten wir darum nur auf das Inhaltliche,
besonders Weltanschauliche und übersehen das Formale. Entsprechend muten uns auch die Dramen durch die Art der
Versprachlichung fremdartig an. Wir haben uns seit Lessing
daran gewöhnt, daß die dramatischen Figuren ihr inneres
Fühlen zum Ausdruck bringen. Dem entgegen ist die Einstellung des barocken Autors aber rhetorisch. Er läßt seine
Figuren, affekt-geladen und affekt-suchend, ihre Situation
besprechen und benutzt dazu Umschreibungen, verdeutli-
chende Einkleidungen, Vergleiche. Je ungewöhnlicher diese
sind, desto größeren Eindruck machten sie auf die Zeitgenossen. Zu solcher Metaphorik gesellt sich aus der Affekt-
haftigkeit ein Drang zur Steigerung, sowohl im Quantita-
tiven wie im Qualitativen. Häufung und Übertreibung las-

sen die Sätze einerseits anschwellen, verleihen dem Ton ein Pomposo. Andererseits preßt der Intellekt gern Lebenserfahrung zu Sentenzen zusammen. Es leuchtet ein, daß so Verschiedenes, wie es nur einem Dichter von Format gelingen mochte, leicht ins äußerlich Aufgemachte entglitt und nach 1700 von dem neuen Zeitalter der Aufklärung als hohler Schwulst, eben als „barock" verpönt und bekämpft wurde.

Zum Spätstil des 17. Jahrhunderts gehört die Neigung zu rhetorischer Aufschwemmung allgemein. Auch bei Lohenstein ist dieses Phänomen zu beobachten. Sein Amt ließ ihm zuletzt zwar keine Zeit mehr zu weiteren Dramen, aber die *Cleopatra* überarbeitete er noch für eine neue, würdig ausgestattete Ausgabe im Jahre 1680. Der Titelkupfer wird damals ausgewechselt und zeigt nun in schwungvoller Gruppe die zusammensinkende Königin, von zwei Schlangen umzüngelt. Ein bekannter Künstler, Matthias Rauchmüller, lieferte dazu den Entwurf. Er hatte sich in jenen Jahren durch treffliche Grabplastiken für die Magdalenenkirche in Breslau und für die Piastengruft in Liegnitz empfohlen. Den älteren vier Köpfen der Hauptpersonen nach antiken Münzen aus Lohensteins Sammlung sind noch vier weitere beigefügt. Der Text selbst schwoll von 3090 auf 4236 Zeilen an. Kein Akt blieb verschont, einzelne Wörter oder Wortgruppen wurden verändert, oft ganze Zeilen, ja Zeilenpaare gestrichen und statt dessen umfangreiche Absätze hinzugefügt; auch Szenenteile wurden umgemodelt. Selbst die ergänzte Szene (II. 1, v. 1-116) scheint weniger aus dramatischer Notwendigkeit geschrieben als aus Freude an der heiklen diplomatischen Aufgabe, die dem geheimen Abgesandten des Augustus an Cleopatra gestellt ist. Immer also war für die Umarbeitung das Rhetorische maßgebend: eine stilistische Verfeinerung, wirkungsvolle Ausmalung, schwungvolle Steigerung und Überhöhung. Ein Darstellungsaffekt hat offenbar den Autor ergriffen, wie er den Redenden mitreißen kann. Und das können wir in jenem Jahrhundert oft, ja als typisch beobachten. Aber nicht nur der Text ist um 1146 Zeilen gewachsen, die Anmerkungen wurden noch stärker abgeändert und beträchtlich erweitert. Vielwissen macht sich breit und ergeht sich selbstgefällig im Nebensächlichen. Man merkt, daß Lohenstein gleichzeitig an seinem Roman *Großmütiger Feld-*

herr Arminius ... arbeitete, der in den vollendeten Teilen zwei Bände mit über 3000 zweispaltig bedruckten Seiten in Großformat umfaßt. Einen Abschluß dieses Werkes gestattete ihm allerdings dann der Tod nicht mehr. Nur 48 Jahre alt, starb Lohenstein am 28. April 1683 unvermutet an einem „Schlagfluß".

Die Tragödie *Cleopatra* fand weiter den Beifall der Zeitgenossen, wurde noch mehrmals neu aufgelegt (1689, 1708, 1724 und 1733), und zwar immer in der erweiterten Fassung, so daß sie zu der Verdammung als Schwulst besonderen Anlaß gab. Gewiß haben aus dem reizvollen Stoff in Plutarchs Überlieferung andere Dramatiker vom Vorliegenden recht Verschiedenes gestaltet. Am nächsten liegt ein Vergleich mit Shakespeares *Antonius und Cleopatra* (1608). Wie der Titel schon vermuten läßt, gilt Shakespeares Interesse vor allem Antonius, dem zum Herrscher berufenen Mann, der durch Cleopatra zugrunde gerichtet wird. John Dryden dagegen gibt in der klassizistischen Form der französischen haute tragédie eine heroische Liebestragödie, die er bezeichnenderweise nicht mit dem Namen der Hauptfiguren, sondern ganz generell *All for love* benennt, mit dem Untertitel *The world well lost.* Über *Die Auffassung der Cleopatra in der Tragödiendichtung der romanisch-germanischen Nationen* unterrichtet ausführlich die Freiburger Dissertation von G. H. Moeller (1888), außerdem Sigrid Vrancken: *Das Antonius-Cleopatra-Motiv in der deutschen Literatur*, Diss. Bonn 1930. Datierungsprobleme der Uraufführung der *Cleopatra* behandelt der Aufsatz von Edward Verhofstadt: „Zur Datierung der Urfassung von Lohensteins Cleopatra" (*Neophilologus* 44, 1960, S. 195–199). Eine kritische Ausgabe sämtlicher Trauerspiele Lohensteins veröffentlichte Klaus Günther Just in drei Bänden (Bibliothek des Literarischen Vereins in Stuttgart, Stuttgart 1953–57). Ihm verdanken wir auch die aufschlußreiche Untersuchung: *Die Trauerspiele Lohensteins*, Berlin 1961.

Willi Flemming